Tempos de greve
na Universidade Pública

Tempos de greve na Universidade Pública

Organização:
Isabel Loureiro
Maria Candida Soares Del-Masso

Marília
2001

Unesp
Marília
Publicações

UNIVERSIDADE ESTADUAL PAULISTA
FACULDADE DE FILOSOFIA E CIÊNCIAS

Copyright© 2001 Isabel Loureiro; Maria Candida Soares Del- Masso

Diretor:	Dr. Kester Carrara
Vice-Diretor:	Prof. Dr. Tullo Vigevani

Conselho Editorial: Maria do Rosário Longo Mortatti (Presidente)
Adrián Oscar Dongo Montoya
Alexandre Bergamo Idargo
Francisco Luiz Corsi
Lourenço Chacon Jurado Filho
Marco Aurélio Werle
Maria Cândida Soares Del Masso
Mariângela Spotti Lopes Fujita

Assessoria Técnica: Maria Luzinete Euclides (Bibliotecária)

**Editoração Eletrônica
e Arte Final:** Edevaldo Donizeti dos Santos

Produção Gráfica: Gláucio Rogério de Morais
Rogério Aparecido Alves

© 2001 Unesp-Marília-Publicações
Av. Hygino Muzzi Filho, 737
CEP 17525-900 - Marília – SP
Tel. (014) 421-1295
e-mail: publica@marilia.unesp.br

T288	Tempos de greve na Universidade Pública / organização de Isabel Loureiro e Maria Cândida Soares Del-Masso. --- Marília : Unesp-Marília-Publicações, São Paulo: Cultura Acadêmica, 2002. 222p. ; 21cm.

ISBN: 85-86738-20-4

1. Universidade Pública - greve. I. Loureiro, Isabel, org. II. Del-Masso, Maria Candida Soares, org. III. Universidade Estadual Paulista. IV. Título.

CDD 378.15519

Sumário

Apresentação

Não apenas o declínio do poder aquisitivo dos seus servidores, mas os reflexos do esvaziamento das responsabilidades do Estado sobre a Educação e a concomitante sinalização da presença voraz do mercantilismo fomentado por interesses internacionais, com tal descuramento veiculados a partir da OMC, constituíram motivação e contexto sob os quais as universidades estaduais paulistas se mobilizaram em prolongada e bem-sucedida greve no ano 2000. As greves, no mais das vezes apoiadas no estopim episódico das reivindicações salariais, desta feita foi muito além disso. Nas mobilizações, nas assembléias, nas discussões, nos documentos e, sobretudo, no modo de agir de docentes, funcionários e alunos, estiveram sempre vívidas as preocupações de natureza ampla com as condições reais de atuação em ensino, pesquisa e extensão. Para além das casas decimais atinentes ao índice de reajuste, as reuniões, as aulas públicas e as conversas pessoais buscaram sempre levar em conta variáveis complexas e abrangentes, responsáveis a médio e longo prazo pela deterioração das condições gerais de trabalho e pelas conseqüências nefastas anunciadas pela onda privatista de ampliação de vagas no ensino superior.

As três universidades -como de há muito não se via- estiveram efetivamente preocupadas com questões muito parecidas, ciosas dos riscos do consenso fácil, porém conscientes da força que a isonomia representa na avaliação da força do movimento. Os textos que compõem este livro atestam exatamente essa busca uníssona de objetivos essenciais, todavia respeitando ao máximo o enfoque pessoal dos autores. A indissociabilidade do perfil da universidade e do modelo de Estado, as implicações da auto-gestão face à legislação e ao orçamento limitados, o papel significativo das greves enquanto procedimento de educação política, a busca da construção da cidadania desempenhando papel decisivo e constituindo processo interminável no contexto acadêmico e das lutas cotidianas, bem como a análise de propostas de mudança da ótica produtivista de avaliação do trabalho profissional na universidade, constituíram apenas alguns dos temas centrais das inúmeras ações que nos mobilizaram. Sem dúvida, embora ressalve-se de reconhecida importância a conquista salarial, sobram

i

razões para considerar como saldo ainda mais valioso a consolidação da idéia de que, embora a greve seja o agente dos tempos, o mote principal deve ser a possibilidade de uma reforma profunda, perene, responsável e politicamente possível. Tal reforma, por certo, excede o âmbito da própria universidade, alcança todo o seu entorno, suas raízes e sua fronde.

Nessa perspectiva, entendemos existirem razões e motivação suficientes para a consolidação de um fórum permanente de discussão, que ultrapasse picuínhas e individualidades e procure alcançar as grandes questões e os debates mais significativos, reunindo representantes das três universidades em ações conjuntas de impacto nacional. Seguramente, os textos aqui apresentados podem constituir consistente contribuição para a instalação dessa prática perene e salutar.

Por certo, este livro não se conforma aos padrões típicos da academia. Coleciona, sobretudo, reflexões cuidadosas de professores que vivem a universidade pública brasileira nas suas mais candentes questões. Por um lado, não sendo, propriamente, um livro didático, acaba por oferecer consistentes lições de educação política. Por outro, mesmo não sendo, igualmente, um livro científico ou sobre a ciência, discute seu conceito e suas polêmicas implicações na vida acadêmica e nos diferentes modelos de universidade. Seu conteúdo, reportando-se freqüentemente a um episódio recente, de greve, dirige-se ao tempo presente e futuro, alertando para os conteúdos e o fazer com que todos nós, defensores do ensino público, gratuito e de qualidade, temos que nos haver nestes tempos de ameaça à universidade estatal. Este livro segue além, portanto, da simples compatibilidade com a política editorial vigente: propõe-se como contribuição inicial e como leitura indispensável a todos quantos se comprometam com a efetiva inauguração de nossa agenda permanente de discussão da universidade pública brasileira. Os autores, por relevantes, dispensam qualquer apresentação. O conteúdo, por consistente, credencia-se como convite a uma valiosa leitura e à participação decisiva da comunidade acadêmica no debate sobre o presente e o futuro da universidade brasileira.

Kester Carrara

Introdução

A greve do ano 2000 nas Universidades Estaduais Paulistas – USP, UNESP e UNICAMP – foi diferente das anteriores. Mais coesa e organizada, acabou revelando um grau de insatisfação inesperado para todos os que dela participaram e que viram com alegria e esperança a retomada de uma prática política de resistência que se supunha extinta.

A grande mobilização alcançada criou uma troca de idéias permanente nas assembléias, discussões setoriais e gerais, atividades culturais dos mais variados tipos, manifestações, passeatas. Uma das novidades em relação às paralisações anteriores, e talvez uma das armas mais fortes na coordenação do movimento, foram os textos que circulavam diariamente pela internet alimentando as discussões, fortalecendo os ânimos, provocando entusiasmo, raiva, acordos, protestos. Essa atmosfera intelectual vibrante criou um quotidiano diferente da vida acadêmica corriqueira, mostrando claramente que se o estopim da greve foi a reivindicação econômica, ela não se restringiu a isso. Ficou evidente para todos que salários dignos permitem melhores condições de ensino, pesquisa e extensão, condição necessária para a preservação do caráter público das instituições de ensino superior. O que se viu na época foi uma interação entre o econômico e o político, com o questionamento radical da política de subordinação do governo FHC ao capital internacional que tem como uma de suas conseqüências precisamente o desmantelamento do serviço público.

Eis o pano de fundo que levou à organização da presente coletânea. Sentindo a necessidade de diagnosticar a crise que a consome e de repensar os rumos da universidade pública, pedimos a contribuição de alguns intelectuais conhecidos em nosso meio acadêmico. Nessa perspectiva, o objetivo da primeira parte do livro – *Reflexões sobre a Universidade* – foi fornecer subsídios que nos permitam começar a discutir o presente e o futuro de uma instituição que vem sendo atrelada de maneira irresponsável às exigências do mercado, vistas como critério de avaliação. Alguns destes artigos, de teor mais geral, estão voltados para a defesa incisiva do caráter público da universidade, como *Escola privada e universidade pública* do físico Roberto Salmeron, cientista de renome internacional e um dos fundadores da Universidade de

Brasília. As outras contribuições analisam aspectos particulares da vida acadêmica, relativos à pesquisa, ao ensino, à mercantilização da ciência, aos programas de extensão universitária, mostrando igualmente a urgência de se preservar como um bem precioso esse espaço de liberdade que vem sendo ameaçado. O artigo do Professor Alberto Carvalho da Silva, co-fundador, ex-diretor científico e ex-diretor presidente da FAPESP, sobre a necessidade da ampliação de vagas na universidade pública, mantndo a qualidade do ensino e da pesquisa, é de uma atualidade candente.

A segunda parte da coletânea, intitulada *Memórias da greve*, visa preservar, na medida do possível, uma pequena parcela da atmosfera intelectual que reinou de abril a junho do ano passado, expondo as várias posições que participaram do debate. Ela abre com uma cronologia do movimento, publicada no *Informativo ADUSP* de junho de 2000, que ajuda a entender o dia a dia da greve e as reivindicações em pauta. A seguir apresentamos alguns dos textos (entre inúmeros outros) que suscitaram debate e reflexão. Aqui, nossa tarefa editorial consistiu em fazer um recorte na enorme quantidade de material existente, reunindo o que consideramos mais significativo, ou seja, reflexões de caráter ético e político, que, embora forjadas no calor da hora – ou precisamente por isso –, acabaram por ter alcance extra-conjuntural. Foi nessa perspectiva que decidimos publicar os depoimentos dos Professores Dalmo Dallari e Antonio Candido (que junto com os Professores Gerhard Malnic, Azis Ab'Saber, Alfredo Bosi e Milton Santos[1] faziam parte da Comissão de Mediação entre os grevistas e o Reitor da USP, então presidente do CRUESP) na histórica assembléia da ADUSP no dia 12 de junho de 2000.

Não é demais lembrar que o movimento atingiu um objetivo sempre almejado e dificilmente alcançado: aglutinar intelectualmente os grevistas por meio de atividades político-acadêmicas. As *Aulas na Greve*, ministradas no gramado da Reitoria da USP, foram uma das atividades mais bem sucedidas e o símbolo mais significativo do movimento, pois mostraram que o trabalho intelectual, a reflexão e o debate são o que de fato dá sentido à vida universitária. O exemplo por nós escolhido recaiu sobre a aula do Professor Antonio Candido que, junto com Delwek Matheus, líder do MST, discorreu sobre o

---

[1] Falecido em 24 de junho de 2001.

iv

tema *Cidadania e movimentos sociais* no dia 15 de março de 2000. A limpidez da palavra e do pensamento, a integridade política e intelectual encontram-se, mais uma vez, presentes na aula deste que é o grande mestre de todos nós.

Ainda nesta parte do livro incorporamos três artigos inéditos: *A República da mentira*, de Franklin Leopoldo e Silva, "Reflexões a partir da greve", de Ademar Ferreira e *O futuro da educação superior pública e gratuita no México*, de Regina Aída Crespo. Este último mostra com clareza as diferenças de toda ordem entre nosso movimento reivindicatório e o que ocorreu na Universidade Autônoma do México de abril de 1999 a fevereiro de 2000.

Em suma, todos os artigos têm um ponto em comum na medida em que mostram que é precisamente por seu caráter público que a universidade está aberta à reflexão, à crítica e ao debate teórico, estimulando assim a ampliação dos horizontes culturais de seus membros e também da comunidade mais vasta na qual está inserida. Ao escolher estas contribuições, pretendemos mostrar que é possível resistir ao produtivismo vazio, ao individualismo carreirista que levou cada membro da comunidade universitária, numa réplica perfeita do que se passa na vida social, a transformar-se numa mônada sem portas e sem janelas. A greve de 2000, ao reconquistar o espaço coletivo do pensamento e da ação, questionou em profundidade durante quase dois meses essa vida intelectual virtual a que as instâncias de poder querem nos reduzir e contra a qual precisamos lutar incessantemente.

Não poderíamos deixar de expressar o nosso especial agradecimento ao colega Professor Lourenço Chacon Jurado Filho pela cuidadosa revisão dos textos desta coletânea.

As organizadoras

REFLEXÕES SOBRE A
UNIVERSIDADE

ESCOLA PRIVADA E UNIVERSIDADE PÚBLICA

Roberto A. SALMERON[1]

O sistema de educação que um país adota representa a imagem que ele faz do seu futuro.

A universidade pública vem sendo defendida por seus docentes, quanto às condições de trabalho, salários, pesquisa científica, e ameaça de que os estudos passem a ser pagos. Muito já se tem escrito a respeito deste assunto, mas ele está longe de ser esgotado; devemos continuar a defendê-la, pois se trata de nossas aspirações culturais. Uma das tarefas importantes ao tratarmos deste problema é a de promover o diálogo, indispensável ao progresso.

A ampliação das universidades públicas não acompanhou o aumento da população, nem a conscientização de camadas cada vez mais amplas da população de que as crianças e os jovens terão melhor futuro se estudarem. A procura por cursos superiores tornou então a criação de universidades privadas um processo inevitável. Relativamente às universidades públicas, as escolas superiores privadas no Brasil tiveram nos últimos anos uma expansão situada entre as maiores do mundo, suas matrículas abrangendo mais do que 60% dos estudantes.

A questão importante que se impõe é de saber o papel que desempenham essas universidades para o futuro do país. Devemos nos precaver contra mitos que foram criados em críticas formuladas às universidade públicas, ou em defesa das privadas, com afirmações superficiais ou inverídicas, sobretudo quando são feitas comparações com outros países.

Está havendo no âmbito internacional enorme pressão para a privatização do ensino em todos os níveis, primário,

---

[1] Diretor de Pesquisa Emérito do Centre National de la Recherche Scientifique (CNRS); Físico do Laborataire de Physique Nucléaire des Hautes Energies - École Polytechnique de Paris.

secundário e superior. Essa pressão já está oficializada na Organização Mundial do Comércio (OMC), há 6 anos, desde 1994, com a assinatura de um *acordo geral para o comércio de serviços*. A inclusão de serviços no âmbito da OMC foi mais um abuso dos países fortes, que passaram a exigir a definição do que deve ser considerado *serviço*. O fato extremamente grave é que a educação passou a ser considerada serviço, ao mesmo nível dos serviços prestados pelas empresas comerciais. E a OMC se dá o direito de negociar medidas para eliminar os obstáculos ao livre acesso ao mercado de serviços, entre eles, evidentemente, a educação.

Respaldados pela OMC, círculos financeiros dos Estados Unidos querem implantar universidades norte-americanas privadas, pagas, em outros países, inclusive na Europa. A educação visada por esses financistas é o que se pode chamar *a educação para a empresa,* isto é, a formação somente de profissionais, o que significa educação de pequeno alcance, na qual a formação do cidadão consciente não é cogitada. Nem mencionam eles universidades como as que nós queremos para as nossas, com atividade em ensino e em criação intelectual em todos os campos, letras, artes, ciências humanas, ciências naturais e exatas.

Universidades privadas

As universidades privadas no Brasil tornaram-se elemento influente no sistema de educação, porque têm uma das maiores porcentagens de alunos de ensino superior matriculados em escolas pagas no mundo. Elas foram criadas e estruturadas de acordo com as condições do país, satisfazendo, portanto, a uma demanda local. Apesar do seu aspecto interno, elas se enquadram num processo internacional de pressão pela privatização do ensino. O exame da função dessas universidades é então importante, porque elas estão penetrando na estrutura do ensino de um modo que não pode ser ignorado.

O capital internacional lançou-se à conquista de dois domínios que qualquer governo democrático evoluído tem de considerar seus domínios prioritários, a saúde e a educação. Essa obrigação dos governos foi identificada já há muito tempo. Era uma das aspirações dos que fizeram a Revolução Francesa há mais de dois séculos, sendo célebre a frase de Danton, um dos seus líderes: *depois do pão, a maior necessidade de um povo é a educação.*

Saúde e educação representam importantes fontes de comércio, entre as maiores do mundo. A alta dose de privatização da saúde é bem conhecida no Brasil, onde se estabeleceu uma medicina de classe social. Certos tipos de tratamento, assim como a urgência de tratamento, são inacessíveis para grande parte da população. A privatização do ensino tem conseqüências mais sutis e mais variadas, que vão desde o preço da educação até a formação do cidadão consciente e a preservação da nossa cultura.

Há, indiscutivelmente, profundas diferenças entre as finalidades a que se destinam as universidades públicas e as privadas no Brasil. A não ser poucas honrosas exceções, as universidades privadas são empresas comerciais visando o lucro econômico e dedicam-se exclusivamente à formação profissional dos estudantes, sem preocupação com a formação do cidadão consciente, com o alargamento das bases culturais que fazem nossa identidade como povo.

Os estudos nas universidades privadas são caros, e os seus objetivos econômicos ficam às vezes evidentes quando projetos são lançados por pessoas alheias ao meio cultural dos professores e alheias aos problemas do ensino. Gostaria de citar um exemplo.

Um de meus amigos, professor de universidades públicas durante toda a sua vida, com experiência profissional e produção intelectual inovadora comprovadas, foi convidado por um grupo de financistas para organizar a estrutura de uma nova universidade privada. Trabalhou com seriedade dois anos, investigando, viajando, discutindo, trocando idéias. Quando julgou que seus planos estivessem suficientemente maduros, apresentou-os aos futuros proprietários, com minuciosa exposição, salientado as atividades que previra em vários setores de diferentes formações profissionais. Foi interrompido, para grande surpresa sua, mais ou menos com as seguintes palavras: *professor, os detalhes dos planos que o senhor fez não nos interessam, nós queremos saber qual será o lucro anual.* Esta história é verídica.

As perspectivas do ensino pago são preocupantes em nível mundial, porque este será em pouco tempo um dos maiores negócios, de centenas de bilhões de dólares por ano, tão importante ou mais, por exemplo, quanto a indústria de fabricação de automóveis.

A UNESCO fez uma estimativa do negócio que a educação representaria se fosse paga por todos os alunos do mundo nos vários níveis do ensino, primário, secundário e superior, utilizando os valores reais das anuidades cobradas atualmente. Concluiu que o montante seria a quantia fabulosa de 2000 bilhões de dólares por ano. A hipótese de que todos os alunos, de todos os países, pagariam não é realista. Mas se 10 por cento dos alunos estudassem em escolas pagas, o que não nos parece uma hipótese absurda, o montante seria de 200 bilhões de dólares por ano, que não deixa de ser uma quantia fabulosa, superior ao orçamento da maioria dos países. Essas são as perspectivas de um ensino privado no mundo.

O avanço do ensino pago preocupa os dirigentes da UNESCO, cuja vocação é estimular o ensino e a cultura. No número de novembro de 2000, a Revista da UNESCO trata deste assunto, e revela dados numéricos importantes a respeito de tendências já conhecidas. Contém um artigo dedicado às escolas privadas brasileiras, algumas citadas nominalmente e apresentadas como potências no ensino em nosso país, com número de estudantes comparáveis aos das universidades públicas, e possuidoras de orçamentos colossais. Essas escolas e universidades pagas têm um sistema de publicidade baseado num verdadeiro sistema de *relações públicas*, por exemplo oferecendo bolsas de estudos a bons alunos (o que em si é louvável, mas é apresentado com destaque publicitário), e mantendo certas atividades sociais envolvendo até as famílias. Sem perceber que tais atividades são de segunda ordem na educação de uma pessoa jovem, há famílias que as consideram importantes e as descrevem com elogios. Mas não se vêem palavras sobre atividades intelectuais criadoras, ou de preocupação pela nossa cultura e pelos nossos problemas.

Como já foi dito por pessoas que se dedicam a este assunto, *as escolas de ensino superior pago no Brasil se apoderaram do nome universidade*, quando na verdade têm pouca semelhança com universidades como nós as concebemos.

Entre os problemas do ensino pago, o governo brasileiro terá de enfrentar dois novos desafios, que já estão preocupando responsáveis do Ministério da Educação: cursos de pós-graduação e ensino à distância.

Os cursos de pós-graduação são ministrados fundamentalmente nas universidades públicas, com poucas exceções, e são financiados por órgãos governamentais, como a CAPES, o CNPq e Fundações de Amparo à Pesquisa de alguns Estados. O nível desses cursos no país é desigual. Um problema novo que surgiu é que universidades privadas querem iniciar também cursos de pós-graduação. Portanto, vão competir com as universidades públicas na obtenção de verbas que provêm daquelas instituições oficiais. Sabemos que cursos de pós-graduação se justificam somente em instituições nas quais há pesquisa. Além da competição na obtenção de verbas, quais as universidades privadas que têm condições para ministrar esses cursos em associação com a pesquisa ? Se o governo não agir com a mais absoluta firmeza, para impedir que escape ao controle, isto poderá colocar em perigo o sistema de pós-graduação no país, que tem sido um dos mais extensos e mais eficientes entre os países do Terceiro Mundo.

A busca de lucros econômicos pelos investidores não tem limites. Outro assunto perigoso é a existência de aberrações, que se intitulam universidades e dão cursos à distância, pela internet. O aluno tem a obrigação de assistir a pouquíssimas horas de curso por semana (cerca de meio dia), e recebe depois um diploma universitário. Já há no Brasil a possibilidade de se fazerem os chamados *cursos universitários à distância*, matriculando-se em escolas desse tipo existentes nos Estados Unidos. O Ministério da Educação

7

precisa ser firme e não reconhecer esses diplomas como legais, pois é evidente que se forem legalizados haverá uma banalização de títulos que poderá afetar o sistema universitário.

Já tem sido assinalado, por pessoas diferentes e em várias ocasiões, que circulam às vezes dados errôneos relativos ao ensino, que não têm nada a ver com a realidade, mas em torno dos quais se formaram mitos enganadores. Um dos mitos divulgados no Brasil é relativo ao ensino nos Estados Unidos. Como existem lá algumas universidades privadas de grande prestígio, bastante conhecidas, há a crença de que o ensino é pago ou majoritariamente pago, o que não é verdade; somente um quarto da verba total no ensino provém de escolas privadas, três quartos provêm do governo. A Revista da UNESCO já citada apresenta a porcentagem do montante gasto com escolas privadas, pagas, em relação ao total gasto com o ensino, em diversos países. A Coréia do Sul tem a maior porcentagem, 40 por cento. Vêm em seguida os Estados Unidos, a Grécia, o Japão e a Austrália, com cerca de 25 por cento. Os países nos quais as verbas gastas em escolas privadas são as menores são os europeus; por exemplo, a Áustria e a Bélgica 8 por cento, a Dinamarca 5, a Itália 4, a Suécia 2. Na França não há universidades privadas, todas elas são públicas e gratuitas; no ensino primário e secundário há algumas escolas privadas, quase todas da Igreja Católica, parcialmente financiadas pelo governo, em geral nos salários dos professores, o que absorve 8 por cento do dispêndio total com o ensino nesse nível.

Universidades públicas

Ainda temos muito que fazer pelas nossas universidades públicas. Mas se olharmos para a história, vemos que um grande progresso foi realizado, porque nossas universidades são recentes, quando comparadas com as seculares européias e até algumas norte-americanas que já têm mais de dois séculos. Depois de algumas tentativas modestas, a primeira universidade que se confirmou e se consolidou foi a de São Paulo, fundada em 1934, portanto recentemente, abrangendo unicamente duas gerações. Alguns dos seus primeiros estudantes e dos seus primeiros professores ainda estão vivos e exercendo atividades intelectuais.

Depois da Universidade de São Paulo, uma centena de universidades públicas foi fundada no país, no intervalo de apenas 60 anos ou menos. Isso representa esforço colossal. Todas são radicalmente inseridas no meio social, influenciadas por esse meio e exercendo grande influência sobre ele. As escolas de medicina, engenharia, odontologia, direito, ciências e letras de nossas universidades públicas são elementos importantes da sociedade, têm participação ativa ao mesmo tempo no impulso ao nosso progresso e na nossa identidade cultural como povo.

A mentalidade cultivada em nossas universidades públicas é completamente diferente da mentalidade das universidades privadas, a não ser, repetimos, algumas honrosas exceções destas. São as universidades públicas que mantêm os ideais dos seus fundadores e de eminentes educadores, de aliar o ensino a atividades criadoras nos diversos campos, de ensino vivo, ensino que olha para o futuro e não somente para o passado. São as universidades públicas que têm a possibilidade de manter nossas aspirações culturais e de criar condições de trabalho intelectual criador para os jovens das gerações futuras, indispensáveis ao progresso.

Nos países culturalmente avançados as universidades são permanentemente analisadas para poderem acompanhar as transformações da sociedade e influírem sobre o seu progresso. Estamos presenciando na Europa uma atividade importante de reformulação de universidades, devido à criação da União Européia, que dará aos universitários ocasião de trabalharem em países diferentes. Cada país está interessado em manter o que as suas universidades têm de melhor, e podemos ter certeza de que esse intercâmbio elevará ainda mais o nível das universidades européias, que já é alto.

No Brasil, temos de continuar trabalhando para aprimorar nossas universidades públicas, cujo progresso é em grande parte devido aos esforços dos professores. A luta travada pelos seus docentes é luta pelo futuro.

GLOBALIZAÇÃO E CONHECIMENTO

Marcos Del ROIO[1]

O globalismo neoliberal é uma política e uma ideologia que tem em vista a mundialização do capital. Essa foi a resposta encontrada pelo capital para fazer frente à sua crise de valorização. Como se sabe, o capital é expressão de uma relação social intrinsecamente contraditória que se reproduz apenas de uma maneira ampliada e em decorrência da exploração social do trabalho produtivo. O capital encontra-se cm crise de valorização desde meados dos anos 70, basicamente em função da pressão exercida pelo movimento operário e pela crise fiscal do Estado, que perdeu sua capacidade distributiva e de investimento produtivo e social.

A tentativa de resgate da capacidade de valorização do capital ficou conhecida como *globalização*. Trata-se, na verdade, de uma complexa operação cujas características fundamentais podem apenas ser indicadas, sendo a mais importante a financeirização do capital. Significa que há um processo de descolamento do capital do processo produtivo da riqueza social, reforçando uma tendência na qual apenas o dinheiro produz mais dinheiro, mas não produz bens apropriáveis pelo conjunto da vida social.

O resultado é o poder crescente dos bancos e das instituições financeiras. Para que o capital tenha seu movimento livre dos limites impostos pelo mundo do trabalho e pelo Estado, aparece, e tem a maior importância, a chamada *liberalização* dos mercados, com a abolição de taxas alfandegárias e de direitos sociais dos trabalhadores, também conhecida como *flexibilização*. A privatização do patrimônio público (recursos naturais, infra-estrutura e serviços públicos), principalmente dos Estados subalternos, implica uma passagem do controle indireto do capital, com intermediação do

---

[1] Departamento de Ciências Políticas e Econômicas da Faculdade de Filosofia e Ciências – Unesp – Campus de Marília.

Estado, para o controle direto do capital mundializado. Nos fatos, a *globalização* surge como uma forma qualitativamente nova que aprofunda a dominação imperialista, propondo novas variantes de colonialismo, e que debilita a soberania dos Estados nacionais.

O poder econômico-político transfere-se para instituições supranacionais que garantem o predomínio do grande capital financeiro mundializado, tais como o G-7, o FMI, a OMC e o Banco Mundial, esvaziando-se outras como a ONU, dotadas de algum potencial democrático. Mas como o capital não pode prescindir do Estado como operador da política econômica, da coerção social e mesmo do consenso, além da força armada capaz de preservar a ordem imperial, a tendência é a concentração de poder em apenas um desses Estados, os EUA, e seus satélites articulados na OTAN.

Para o globalismo neoliberal tudo – coisas, corpos e mentes – deve se submeter à lógica do capital e ao poder da oligarquia financeira mundializada. Esse projeto baseia-se numa transformação profunda no seio do processo de acumulação do capital promovida pela chamada revolução técnico-científica em andamento, que amplia sobremaneira a produtividade do trabalho empregado na produção, gerando um setor de trabalhadores dotados de conhecimento científico. Na verdade, a própria produção do conhecimento científico e tecnológico torna-se capaz de gerar essa riqueza chamada conhecimento e de acumular capital – um desdobramento que poderia ser chamado de capital cognitivo.

Na época de Marx, o conhecimento encontrava-se embutido nas próprias máquinas e no produto final, enquanto que na fase fordista-imperialista o conhecimento concentrou-se na organização da produção, promovendo a notória expansão do setor de serviços. A posse das máquinas e o controle da organização implicavam o conhecimento contido no processo produtivo. Na fase pós-fordista que ora adentramos, graças às novas tecnologias e aos meios de comunicação, o conhecimento se autonomiza e é capaz de circular como mercadoria e como força produtiva do capital, ou, dito de outra maneira, o capital cognitivo é aquele gerado pelo conhecimento enquanto força produtiva.

O conhecimento autonomizado em relação às máquinas, o produto final e a organização, se sobrepõe como um intermediário entre o trabalho e o resultado final, de modo que o trabalho passa a produzir o conhecimento que ativa o processo produtivo. Assim, o conhecimento é capital, mas também é uma propriedade da força de trabalho que não pode ser expropriada pelo capital, mas pode ser difundida de forma a provocar a diminuição do valor inicial, contando ademais com poucos custos de reprodução. Daí o interesse do capital em difundir um certo conhecimento, aquele que subtrai valor de contratação à força de trabalho intelectual, retendo, porém, o conhecimento que implica o controle do ciclo do capital e do poder político-militar.

O conhecimento posto no mercado tende também a alterar a substância do que é contratado. O trabalhador não vende ao capital tão-somente sua força de trabalho contida na habilidade de suas mãos, mantendo uma relação de estranhamento com o produto final, pois quando oferece ao capital o seu conhecimento, é sua identidade, seus desejos e ideais que são postos sob controle do capital, que tende assim a colonizar as mentes e a abstrair o trabalho concreto.

Essa é, no entanto, apenas a utopia do capital, uma vez que o trabalho cognitivo não pode estar despido de determinações concretas, nem deixar de ser produzido pelos homens. As novas tecnologias informáticas e os novos meios de comunicação, assim como a produção *flexível*, criam novas condições para abstração do trabalho, mas, ao mesmo tempo, ampliam a complexidade sócio-produtiva, redefinindo o território, o perfil da força de trabalho e da própria forma da acumulação do capital. A implicação desse processo é a desestruturação das instituições sociais do mundo do trabalho forjadas na era fordista-imperialista, sua desqualificação profissional e cognitiva, a desocupação em massa e o enfraquecimento político e cultural, com a perda crescente de posições diante da ofensiva do capital.

De certa forma, portanto, o conhecimento aparece como a última fronteira do capital em crise, no seu esforço de resgatar sua capacidade de valorização, envolvendo dois aspectos complementares. Por um lado, a produção de ciência e tecnologia torna-se crucial para a acumulação e para a soberania estatal; por outro, o ensino (a difusão do conhecimento) deve ser mantido sob controle e reduzido a mercadoria de baixo custo. Assim, o conhecimento segue as regras da acumulação do capital e do mercado, com a tendência à centralização e à concentração da riqueza e do poder do lado de poucos, enquanto a maioria da humanidade encontra-se condenada a ver-se despojada dos produtos da ciência e da técnica.

Na época da globalização, amplia-se a complexidade do processo de acumulação do capital, que se expande por todo o território do planeta e também pelo mundo virtual, incorporando o conhecimento no circuito do capital de modo a sobrepor processo produtivo e fluxo de informação, alterando a relação entre conhecimento e máquina e também entre processo produtivo e esfera gerencial. A função social e a institucionalidade da produção da cultura, da ciência e da tecnologia passa, então, por mudanças de monta, atingindo inclusive a Universidade como específica instituição destinada à produção e difusão do saber e espaço de disputa pela hegemonia civil e cultural.

A crise da Universidade pública ocorre por mais de um motivo e espraia-se em mais de uma direção. Por um lado, há a multiplicação de centros de pesquisa de alta tecnologia imediatamente ligados às empresas, com necessidade de produzir ciência acoplada diretamente ao circuito do capital, que parte do laboratório e chega ao consumo, ou então centros de pesquisa sustentados pelos Estados imperialistas que buscam fortalecer suas empresas. Mesmo a produção científica da Universidade vê-se sempre mais condicionada pela demanda dessas empresas necessitadas de determinado conhecimento. Assim, a produção científica passa a ser imediatamente apropriada pelo capital colocando em discussão o próprio caráter (pretensamente) público da Universidade. Se o conhecimento produzido nesse espaço é imediatamente apropriado pelo capital, por que não acabar com o paradoxo, privatizando a própria Universidade, o que aumentaria sua eficácia dentro dos objetivos próprios da acumulação?

De outra parte, a difusão dos novos meios de comunicação e midiáticos diminui a importância da Universidade como espaço de disputa pela hegemonia civil e cultural, ainda que continue cumprindo seu imprescindível papel na formação de educadores e de intelectuais que ocupam o papel de difusores do universo simbólico reprodutor da ordem social controlada pelo capital. Em Estados subalternos como o Brasil, onde o projeto de americanização pós-fordista ganhou os corações e mentes das classes dirigentes, inclusive de uma vasta parcela da intelectualidade, torna-se compreensível o denodo dos donos do poder na destruição das escolas e Universidade públicas, em favor do ensino e da Universidade privada. Sabe-se que a privatização do patrimônio público/estatal (sejam mineradoras, siderúrgicas, hidrelétricas, rodovias ou bancos públicos) é um elemento estratégico dentro desse projeto, não sendo casual que o BNDES financie (com recursos públicos) algumas dessas operações e que o atual ministro da Educação tenha sido empregado do Banco Mundial e formulador, para o Brasil e os demais países da América Latina, da política educacional dessa monstruosa instituição.

Diante da impossibilidade de fazer frente à resistência a esse projeto, o regime atual optou por promover uma privatização progressiva, fazendo uso do estrangulamento orçamentário, da precarização do trabalho e do aviltamento salarial. Ao mesmo tempo em que limita sobremaneira as possibilidades de crescimento da Universidade pública, o regime estimula as Universidades privadas, concedendo-lhes polpudos recursos públicos, ficando a expansão do sistema universitário por conta das empresas privadas (financiadas com recursos públicos).

Nesse sistema universitário progressivamente pago e/ou privatizado, os investimentos estariam destinados a centros de excelência forjados de acordo com as demandas do capital, enquanto que a maioria das faculdades e institutos ficaria resumida a formadores de força de trabalho de baixa qualificação, dotados apenas daquele conhecimento necessário para entabular esforços visando à inserção no mercado, sem qualquer senso crítico em relação à vida social. Os professores, submetidos a uma lógica produtivista,

15

sobrecarregados, mal remunerados e oferecendo aulas de qualidade discutível.

Fica assim bastante claro que a crise da Universidade pública no Brasil só pode ser entendida e enfrentada se olharmos para o cenário muito mais amplo do papel do conhecimento na fase atual da acumulação do capital e das políticas de privatização e desnacionalização do patrimônio estatal do país, até o limite de comprometer seriamente a soberania nacional e as possibilidades da democracia. A luta em defesa da Universidade pública, gratuita, democrática e de qualidade é sem dúvida uma necessidade, mas certamente seria mais eficaz se houvesse uma compreensão mais generalizada de que esse objetivo é apenas o início do caminho em busca de uma nova Universidade que seja popular no seu conteúdo e no seu escopo. Esse movimento, no entanto, em cada um de seus momentos, exige a aliança entre a intelectualidade proletarizada (não tanto pelas condições de vida, mas pela subsunção ao capital) e outros setores sociais interessados no resgate da soberania nacional e na construção de uma ordem social alternativa.

A CIÊNCIA QUE QUEREMOS E A MERCANTILIZAÇÃO DA UNIVERSIDADE

Marcos Barbosa de OLIVEIRA[1]

Durante a greve do ano passado, e nos eventos que vieram em sua esteira, usou-se bastante a expressão *a Universidade que queremos* – por exemplo no título dado ao debate entre Bresser Pereira e Marilena Chauí realizado em setembro: *Que Universidade queremos: crítica ou produtivista?*[2] Talvez a parte mais importante de seu conteúdo seja o que ela pressupõe, a saber, a existência de uma comunidade, de um *nós* que temos certa concepção do que deva ser a Universidade, que achamos que a Universidade que temos não é a que queremos, e estamos dispostos a lutar para que a distância entre o real e o ideal inverta sua tendência, que em vez de aumentar, passe a diminuir. As considerações que tenho a apresentar partem desta pressuposição, elas se dirigem primordialmente àqueles já empenhados na tentativa de salvamento da Universidade pública de sua destruição pela reforma neoliberal em curso.

Entre as funções tradicionalmente atribuídas à Universidade, a principal – ou pelo menos a mais característica, mais exclusiva – é a pesquisa científica. *Que Universidade queremos?* remete assim imediatamente a *que ciência queremos?*. Meu objetivo aqui será o de, na primeira parte, sugerir algumas diretrizes para uma reflexão sobre esta pergunta; na segunda, examinar as implicações desta reflexão para o processo de mercantilização da Universidade.

Vou tomar como ponto de partida uma perspectiva centrada nas relações entre as ciências naturais e as humanidades, a qual envolve um questionamento da própria expressão *pesquisa científica* para designar a função principal da Universidade. Está claro que *pesquisa científica* só seria satisfatória para isso se seu sentido

---

[1] Faculdade de Educação – USP – São Paulo, SP.

[2] Uma transcrição deste debate – sobre o qual farei alguns comentários na parte final desta exposição – foi publicada na *Revista da ADUSP*, n. 21, dez. 2000.

fosse muito ampliado. Existem áreas na Universidade em que a parte das atividades dos professores correspondentes àquelas desenvolvidas nas áreas de ciências naturais, e aí propriamente chamadas de *pesquisa científica*, não são na verdade deste tipo. Seria possível tratar de outras, por exemplo, no domínio das artes, mas para facilitar a exposição vou me concentrar na filosofia. Do ponto de vista relevante no presente contexto, a filosofia se define em parte em oposição à ciência, não como uma das ciências. Evidentemente esta já é uma questão filosófica, sobre a qual – como sói acontecer na filosofia – não há unanimidade entre os próprios filósofos. Mas pode-se dizer que, se os departamentos de filosofia só aceitassem em seu corpo docente professores que subscrevessem a tese de que a filosofia é uma ciência, ficariam praticamente desertos. O que os professores de filosofia fazem, então, além das atividades docentes, de extensão, e de prestação de serviços à comunidade, não é *pesquisa científica*. Aliás, não é nem pesquisa; um termo bem mais adequado para designá-la seria *reflexão*.

Este abuso do termo *pesquisa científica* não se restringe à Universidade, sendo comum a todas as instituições relacionadas às investigações teóricas, particularmente as agências de fomento. Isto se revela já no nome: a FAPESP é a Fundação de Amparo à *Pesquisa*, o CNPq antigamente era o Conselho Nacional de *Pesquisa*, depois virou Conselho Nacional de Desenvolvimento *Científico* e Tecnológico. Além do mais, no quadro taxonômico das áreas do conhecimento adotado por ambas as instituições, a filosofia, identificada pelo código 7.01.00.00-4, figura como uma entre outras seis ciências humanas – entre as quais, curiosamente, a teologia. (Mesmo que aceitem a classificação de seu mister como ciência, creio que os teólogos prefeririam tê-la como uma ciência divina, não humana.) É interessante observar que, deste ponto de vista, a Universidade não vai tão longe. A unidade do Campus da UNESP em Marília, por exemplo, é a Faculdade de Filosofia e Ciências. Se a filosofia fosse uma ciência humana, seria uma ciência, e assim o nome Filosofia e Ciências incidiria na falta lógica elementar de adicionar a parte e o todo. Consideração análoga vale para a Faculdade de Filosofia, Letras e Ciências Humanas da USP.

Uma resposta previsível a estas constatações consistiria em dizer que o que está em jogo, afinal de contas, são apenas rótulos e conveniências administrativas, nada de realmente importante. A escolha *destes* rótulos e *desta* taxonomia, em vez de outros, não pode entretanto ser explicada por conveniências administrativas. Não é necessária muita perspicácia para perceber que ela decorre de uma determinada concepção sobre a ciência e suas relações com os outros domínios da investigação teórica, a concepção ortodoxa dominante nos últimos tempos, que se desenvolveu historicamente na modernidade. Chamar a filosofia e as demais humanidades de ciência, designar todas as atividades investigativas da Universidade como pesquisa científica reflete o viés *naturalista* da concepção ortodoxa, a tese de que as ciências naturais constituem a forma paradigmática de conhecimento, modelo e padrão de avaliação para todas as outras.

O impacto do viés naturalista tem sido muito intenso nos últimos tempos, sendo percebido – especialmente nos programas de pós-graduação no domínio das humanidades – como uma forma de imperialismo das ciências naturais. Este se manifesta no grande número de normas e regulamentos promulgados pelas agências de fomento, bem como pelas esferas centrais da Universidade, inspirados na realidade das ciências naturais, mas de aplicação universal, ignorando o que há de diverso nas humanidades. Vejamos alguns exemplos, começando por um relativamente trivial. A divisão em itens imposta para a apresentação de projetos muitas vezes constitui verdadeiro leito de Procusto em que o filósofo tem que acomodar sua proposta. Será que o sentido da especificação da metodologia num projeto filosófico – se é que há algum – pode ser o mesmo que em projetos no domínio das ciências naturais? E o peso que se dá à publicação em periódicos internacionais (na verdade, estrangeiros) nas avaliações de produtividade – será razoável que seja o mesmo, tanto, digamos, para a área de Educação como para a de Física ou Química? Mas talvez o caso mais grave seja o dos prazos para a realização de mestrados e doutorados, reduzidos autoritariamente sem nenhuma consideração das especificidades de cada domínio.

Está claro que uma discussão sobre tais especificidades pode ser conduzida num plano de profundidade filosófica tal que seria muito difícil chegar a consensos que pudessem servir de diretriz para a adoção de medidas concretas.[3] Acredito, entretanto, que o debate é imprescindível, e que há um nível de constatações empíricas o suficiente para permitir o estabelecimento de tais consensos. Um possível ponto de partida é a análise feita por Kuhn das diferenças nas práticas de pesquisa e de formação de pesquisadores nas ciências naturais, cada uma com seu paradigma, e nas humanidades, com sua característica proliferação de escolas e tendências.[4]

Porém, o aspecto mais importante da concepção ortodoxa é o que diz respeito às ciências naturais em sua relação não com as humanidades, mas com a tecnologia. Ao longo da história, as ciências naturais e a tecnologia interagiram de várias formas. Nas últimas décadas, esta interação se acentuou, gerando uma fusão entre os dois domínios, sinalizada pela freqüência com que os dois termos aparecem associados em nomes de ministérios, secretarias etc., bem como pelo uso, cada vez mais comum, da sigla "C&T", e do neologismo "tecnociência".[5] De "que ciência queremos?", a pergunta a ser considerada passa assim a "que *tecnociência* queremos?". E como primeiro passo para a discussão convém fazer um rápido retrospecto do desenvolvimento histórico da concepção ortodoxa – também não mais apenas da ciência, mas da tecnociência.

Seus primórdios coincidem com os da filosofia moderna, com Bacon e Descartes. Já contando com os sucessos conquistados no intervalo, especialmente as contribuições de Newton, os iluministas avançam na sua articulação e fortalecimento. O que se cristaliza na época é uma visão evolucionista, em que a ciência e a

---

[3] Algo que não pode deixar de ser levado em conta é o fato de que a tese naturalista foi e continua sendo adotada por muitas linhas teóricas no domínio das humanidades. A própria utilização das expressões *ciências humanas, ciência política, ciência cognitiva* e outras já é um reflexo disto. Para uma crítica do naturalismo na ciência cognitiva, v. M. B. de Oliveira, 1999.

[4] Cf. Kuhn, (1979), especialmente p.56-59.

[5] A autoria do termo é reivindicada por B. Latour, (1987, p. 53) que diz tê-lo criado "para evitar a repetição interminável de 'ciência e tecnologia'.

tecnologia constituem as principais alavancas do progresso. A ciência se encarrega de desvendar os segredos da natureza, livrando os homens das superstições e mistificações religiosas, enquanto sua aplicação prática, a tecnologia, permitindo uma dominação cada vez maior da natureza, torna muito mais eficiente a produção da vida material. Nos séculos XIX e XX, esta visão "progressista" e tecnocientificista se consolida, para o que muito contribuiu, no plano filosófico, a tradição positivista. Nos países periféricos como o nosso, a partir de meados do século XX, a concepção ortodoxa passa a integrar o ideário desenvolvimentista, que vê os problemas sociais como manifestação de subdesenvolvimento, mede o atraso em termos das diferenças com os países centrais, e inclui a promoção da ciência e da tecnologia entre os fatores imprescindíveis para a superação deste atraso. Para os desenvolvimentistas, a diretriz para o projeto nacional de ciência e tecnologia fica automaticamente dada: trata-se de fazer com que sua prática no país se aproxime tanto quanto possível do modelo dos países centrais.

Já no século XIX a concepção ortodoxa foi alvo de críticas dos românticos. No século XX, do ponto de vista da esquerda, não se pode ignorar as críticas dos pensadores da Escola de Frankfurt, neste, assim como em muitos outros aspectos em franca oposição também ao marxismo soviético, que havia incorporado energicamente a visão de progresso centrada no avanço das ciências naturais e da tecnologia, considerado como principal motor do desenvolvimento das forças produtivas.

A crítica dos frankfurtianos – e aqui não posso fazer mais que expressar uma opinião – contém *insights* preciosos para o entendimento do papel da ciência e da tecnologia na sociedade moderna, mas peca por seu caráter excessivamente abstrato e geral, dando origem a acusações de obscurantismo e tecnofobia.[6] Não importando quão procedentes sejam estas acusações em relação a Horkheimer e Adorno, no que se refere a Marcuse elas são menos. Ao mesmo tempo em que compartilhava aspectos essenciais das críticas de Adorno e Horkheimer, em que a dominação da natureza

---

[6] Ver por exemplo G. Lebrun, (1996).

tem um papel fundamental, Marcuse não deixava – talvez com certa inconsistência – de ver uma face positiva na ciência e na tecnologia modernas. Esta face positiva seria a capacidade de liberar os homens, através principalmente da automação, do trabalho repetitivo e maçante, ampliando assim o tempo livre, condição essencial para a realização da liberdade.

O caráter abstrato e geral da crítica dos frankfurtianos – agora não mais excluindo Marcuse – tem como conseqüência o fato de elas não fornecerem diretrizes para a ação. Ou seja, aqueles que compartilham sua visão crítica, que acreditam ser necessária no mínimo uma transformação na maneira como a ciência e a tecnologia são praticadas no capitalismo, de modo a preservar o que elas têm de bom, ou mesmo imprescindível para a vida moderna, evitando seu lado deletério, essas pessoas têm que procurar em outra parte a resposta à questão: "mas o que fazer a respeito disso?".

Outra crítica que merece ser mencionada é a pós-moderna, pelo peso que vem adquirindo, especialmente nos Estados Unidos. É uma crítica que dá maior ênfase ao suposto caráter etnocêntrico ocidental da ciência e da tecnologia, tendo uma queda muito pronunciada pelas posições relativistas.[7] A crítica pós-moderna, quaisquer que sejam seus méritos, sofre dos mesmos defeitos da dos frankfurtianos, ela deixa sem resposta a questão "o que fazer?" Aliás, entre os adeptos e simpatizantes das duas linhagens, não se observa disposição alguma para o engajamento, para tentar influenciar concretamente os rumos do desenvolvimento da ciência e da tecnologia numa direção que pareça desejável.

Se estou passando tão rapidamente por estas críticas, é para ter mais espaço para apresentar um pouquinho mais pormenorizadamente o tipo de análise que me parece mais fecundo, mais capaz de se transformar em uma força material e contribuir para mudar a ordem das coisas. Como representante deste tipo, vou tomar as idéias que o Prof. Hugh Lacey vem desenvolvendo,

---

[7] Um quadro abrangente da crítica pós-moderna pode ser formado a partir da leitura da coletânea *Science Wars*, organizada por A. Ross (1996).

particularmente em dois livros recentemente publicados, um em português, *Valores e atividade científica*,[8] outro em inglês, *Is science value-free?: values and scientific understanding*.[9] (Outra representante de tal linha de análise é a pensadora e ativista indiana Vandana Shiva, cuja obra tem vários pontos em comum com a de Lacey, sendo por ele citada com freqüência).[10]

Lacey é um crítico anticapitalista da concepção ortodoxa da ciência e da tecnologia. Apesar de nascido na Austrália e radicado há muito tempo nos Estados Unidos, seu ponto de vista é o dos países periféricos, e mais precisamente, o dos movimentos sociais que vêm se desenvolvendo nas últimas décadas, particularmente em países da América Latina – uma faceta de seu pensamento que naturalmente tem a ver com sua ligação com o Brasil.[11] De tal perspectiva, a questão do subdesenvolvimento aparece em primeiro plano, e sendo o desenvolvimentismo a resposta historicamente mais importante dada à questão, a definição de uma postura passa necessariamente por um posicionamento em relação a ele. Lacey o rejeita com firmeza. No artigo *Ciência e valores*,[12] por exemplo, comentando a 48ª Reunião Anual da SBPC (realizada em 1996), Lacey questiona as pressuposições do próprio tema adotado – *Ciência para o Progresso da Sociedade Brasileira* – nos seguintes termos:

> 1) 'Progresso' é um tema impregnado de valor. O que seria , 'o progresso' para a sociedade brasileira? Seria a incorporação progressiva do Brasil na ordem internacional neoliberal? Ou

---

[8] Lacey (1998).

[9] Lacey (1999).

[10] Da extensa produção de V. Shiva, encontram-se em português o verbete *Recursos naturais* (In: SACHS, W. (Org.), *Dicionário do desenvolvimento*, 2000) e *Biopirataria: a pilhagem da natureza e do conhecimento* (2001). Ao final do prefácio a esta edição do livro (de autoria de H. Lacey e M.B. de Oliveira) encontra-se uma lista das publicações mais importantes da autora.

[11] Lacey foi professor no Departamento de Filosofia da USP de 1969 a 1971, quando se mudou para os Estados Unidos. Mas desde então mantém contato com o país, visitando-nos freqüentemente para dar cursos, participar de bancas, eventos, etc. Para mais informações sobre o percurso intelectual e geográfico de Lacey, v. a entrevista publicada em *Teoria e Debate* (ano 14, n. 16, nov. dez. 2000/jan. 2001). A ligação com a América Latina não se limita ao Brasil, inclui também El Salvador, Nicarágua e outros países.

[12] Cap. 1 de *Valores e atividade científica*.

seria o progresso da libertação dos pobres dos sofrimentos que possuem causas sistêmicas? O que mais seria? 2) Seria possível à ciência servir ao 'progresso', em princípio, independentemente da interpretação que se faça de 'progresso'? Seria a ciência de fato neutra? Ou seria a ciência especialmente bem adaptada para servir aos interesses de algumas perspectivas de valor mais do que a outras? E, no momento atual, servir ao projeto neoliberal?

Uma parte importante das respostas que Lacey propõe para estas questões se apóia nas distinções entre *desenvolvimento modernizador* e *desenvolvimento autêntico*, e entre *tecnologia avançada* e *tecnologia apropriada*. Mas antes de prosseguir convém explicitar uma outra faceta de seu pensamento. O trabalho teórico de Lacey tem suas raízes na tradição dominante na filosofia da ciência do século XX, a tradição positivista-popperiana, que na década de 60, com Kuhn, Quine e outros, entra em sua fase chamada de pós-positivista. Lacey é um crítico da concepção ortodoxa da ciência não apenas em sua forma mais geral, de compreensão e adoção mais amplas, mas também nas formulações mais rigorosas discutidas no plano da filosofia institucional, e seus interlocutores principais em boa parte de seus escritos são os filósofos da tradição positivista-popperiana em pauta. Isto tem implicações para a qualidade de seus textos, notáveis pelo rigor, pela clareza, pelo caráter argumentativo, enfim, pelas virtudes especialmente valorizadas nesta tradição. Um dos motivos para mencionar tais atributos é deixar clara a impossibilidade, num trabalho como este, de entrar em detalhes, de modo a fazer jus a toda a riqueza da construção teórica de Lacey.[13]

Eu diria então que sua crítica à concepção ortodoxa de ciência não se limita ao plano das concepções; ela incide também sobre a própria maneira como a ciência (e a tecnologia) é praticada no mundo capitalista em que vivemos. Como os títulos de seus dois últimos livros indicam, os valores desempenham um papel central em suas análises. Outra peça-chave é o conceito de *controle da nature-za* – análogo ao de dominação da natureza dos frankfurtianos, po-

---

[13] Para uma exposição e comentários um pouco menos resumidos, v. M. B. de Oliveira, (1998,2000). Ambos os textos estão disponíveis em http://www2.fe.usp.br/~mbarbosa/.

rém com certas diferenças, que se refletem já na escolha do termo – *controle* – menos carregado que *dominação*. De maneira geral, o sistema capitalista é criticado por incorporar uma supervalorização do controle em detrimento de outras formas de relacionamento com a natureza, e a ciência e tecnologia modernas por serem manifestações desta postura. Em última análise, o capitalismo como sistema, e a tecnociência como parte dele, são responsabilizados pela persistência das falhas mais gritantes da humanidade: fome, miséria, violência, degradação do meio ambiente e uso predatório dos recursos naturais. As objeções à forma como a ciência e a tecnologia modernas são praticadas no capitalismo não levam porém à conclusão de que elas devam ser simplesmente abandonadas. Lacey defende uma posição pluralista, em que a ciência é definida de maneira ampla, como *pesquisa empírica sistemática*, a qual pode ser conduzida segundo diversas abordagens, sendo a da ciência moderna apenas uma delas. O que se critica, portanto, de certo ponto de vista, não é tanto a ciência em si, mas o exclusivismo que a considera – assim como os neoliberais proclamam a respeito do capitalismo – *the only game in town*. Indo além de outros pensadores (como Marcuse) que aventaram a possibilidade de novas formas de ciência, Lacey não se limita à postulação abstrata, mas aponta desenvolvimentos já em curso como manifestações concretas de tal possibilidade. O resultado serve não apenas como argumento contra o exclusivismo da concepção ortodoxa, mas contribui, pelo trabalho teórico de articulação, para o avanço do movimento que promove as alternativas.

Como exemplos de outras abordagens, Lacey trata da feminista,[14] porém a que recebe mais atenção é a ligada à ciência, à tecnologia, às relações sociais e aos impactos ambientais da produção agrícola. É particularmente neste domínio que Lacey incorpora as contribuições de Vandana Shiva – além, naturalmente, das de outros especialistas no assunto – apontando o fracasso da Revolução Verde, defendendo as práticas da agroecologia contra a biotecnologia e os transgênicos. A agroecologia constitui assim um exemplo de tecnologia apropriada, que promove o desenvolvimen-

---

[14] Cf. The feminist approach, cap. 9 de *Is science value-free?* (1999).

25

to autêntico, e de uma abordagem na pesquisa científica alternativa à da concepção ortodoxa. É desnecessário enfatizar a atualidade e a importância dos temas em pauta, e a nosso ver as reflexões de Lacey são extremamente valiosas, ficando distantes tanto de radicalismos estéreis quanto da acomodação passiva ao *status quo.*

Mas voltemos à nossa colocação inicial, à pergunta *que Universidade queremos?* Quem somos o *nós* aí implícito? São um grupo de pessoas profundamente envolvidas com a Universidade, que não estão satisfeitas com os rumos da reforma neoliberal que vem sendo implementada, e no momento procuram avançar nos princípios e estratégias de luta em defesa da Universidade pública. Esta luta não pode ser travada com sucesso sem um mínimo de unidade. Ora, alguns de nós poderão objetar, todo este questionamento da ciência e da tecnologia é com certeza altamente controvertido, sem contar com o fato de que tem recebido muito pouca atenção nas discussões que vêm se desenrolando no movimento universitário. Se a unidade for depender de consensos sobre o papel da ciência e da tecnologia, então nunca será conseguida.

A resposta consiste numa insistência na importância, no caráter fundamental e imprescindível do questionamento da maneira como a ciência e a tecnologia são praticadas no mundo capitalista, combinada com a afirmação de que, num primeiro momento, o necessário para reforçar a estratégia de luta é uma tese bem menos controvertida, tendo assim uma possibilidade muito maior de gerar consenso. *Não é a tese de que a ciência e a tecnologia devem passar por modificações profundas, é apenas a tese de que esta questão precisa ser discutida.*

Num certo sentido, não há nada de essencialmente novo no que disse até agora. O que estou advogando no fundo é o princípio da responsabilidade social do cientista. A idéia de que os cientistas não podem se limitar a fazer ciência, cabendo a eles também refletir sobre o significado, as implicações de sua atividade para a sociedade como um todo. Não tomar como justificativa o confortável silogismo: a ciência e a tecnologia são inequivocamente benéficas para a humanidade; o que faço é ciência (ou tecnologia), logo, o que faço é digno de ser feito.

Mas não tendo nada de novo, não seria este princípio de responsabilidade social da ciência algo de anódino, como uma declaração de boas intenções que ninguém teria dificuldade de assinar em baixo, e tudo continuaria como antes? Algo como uma declaração de repúdio à miséria? Para mostrar que não, o que precisa ser feito é demonstrar que há uma incompatibilidade, teórica e concreta, entre o princípio de responsabilidade social e as diretrizes da reforma neoliberal em curso na Universidade. Quanto mais a reforma avança, menos espaço – no sentido metafórico – e menos tempo – num sentido bem mais concreto – têm os cientistas para refletir sobre o significado social de seu trabalho. É esta demonstração que pretendo esboçar na segunda parte das presentes considerações.

Em muitos contextos, a fusão da ciência com a tecnologia exige a consideração conjunta dos dois domínios, refletida no uso do neologismo "tecnociência". Em muitos, mas não em todos. Apesar de sua relação tão íntima, ciência e tecnologia ainda se distinguem, e de alguns pontos de vista – entre os quais o desta segunda parte – as diferenças entre os dois domínios não podem ser ignoradas, uma vez que dizem respeito ao processo de *mercantilização*.

Fala-se muito ultimamente em mercantilização, e, em particular – o que nos interessa mais de perto, evidentemente –, a crítica à mercantilização da Universidade tem ocorrido com grande freqüência no discurso dos defensores da Universidade pública.

É interessante notar que o termo 'mercantilizar', e seus cognatos – 'mercantilização', 'desmercantilizar', 'desmercantilização', etc. – também são neologismos. Os dicionários, mesmo os mais recentes, ainda não os registram, e alguns autores os colocam entre aspas. Isto vale também para outras línguas, pelo menos para o inglês (*commodification*) e o francês (*marchandisation*).[15] Há algo de curioso neste fenômeno, especialmente do ponto de vista do marxismo. Mercantilizar um bem é fazê-lo funcionar como mercadoria,

---

[15] Em português, nota-se também o uso de 'mercadorizar' no lugar de 'mercantilizar' (cf., p. ex., N.J. Machado, 1997, p.22), e A.F. Pierucci, (2000, p.21); em inglês, 'commoditisation' em vez de 'commodification' (cf. V. Shiva, 1991, p.215).

e a mercadoria é o conceito central na análise que Marx faz do capitalismo. É também a raiz de tudo o que há de nefasto no capitalismo – a alienação dos trabalhadores, o empobrecimento das relações humanas, o fetichismo da mercadoria, etc. Marx, como se sabe, coerentemente com sua crítica aos socialistas utópicos, nunca elaborou em detalhe modelos de sociedade socialista. Uma coisa se pode dizer, entretanto, na medida em que decorre dos aspectos mais fundamentais de sua crítica ao capitalismo, a saber, que o socialismo exclui a mercadoria. Numa sociedade socialista, a economia não mais funciona na base da produção de mercadorias. O socialismo é a negação da mercadoria, e a passagem do capitalismo ao socialismo envolve, portanto, a desmercantilização de todas as mercadorias, de tudo aquilo que no capitalismo funciona como mercadoria. O curioso então é que, apesar de o conceito ser tão importante, só nos últimos anos tenha entrado em circulação o termo – "mercantilização" – que o designa. Isto merece uma investigação mais detida, que deixo entretanto para outra ocasião. É importante notar também que o conceito de mercadoria não é evidentemente exclusivo do marxismo, nem é necessário que uma pessoa seja marxista para constatar e se opor ao processo de mercantilização da Universidade.

No decorrer do desenvolvimento histórico do capitalismo, tanto a ciência quanto a tecnologia são mercantilizadas. O motivo para fazer a distinção entre os dois domínios prende-se a diferenças no processo de mercantilização. São diferenças de natureza e de localização no tempo: *a mercantilização da tecnologia apóia-se no sistema de patentes e data da época em que elas viraram mercadorias; a mercantilização da ciência está em curso no momento, fazendo parte da essência do processo de reforma neoliberal imposto à Universidade.*

O caráter de mercadoria das patentes não estava presente nos primórdios desta instituição. Como dizem os autores de um artigo de 1976 que trata do assunto:

> Historicamente, as patentes nem sempre foram mercadorias; no começo, foram um meio de inibir a competição no uso de uma invenção de modo a apoiar o inventor, sozinho ou em associação com outras pessoas que dispunham do capital ne-

cessário. Este foi o caso – para mencionar um exemplo bem conhecido – de James Watt. No que podemos denominar como sua fase artesanal, as patentes tornaram-se mercadorias que o inventor, como um produtor autônomo, vendia ao capitalista que tinha a intenção de explorá-las. Edison é um representante desta etapa. Finalmente, na fase tecnológica do capitalismo, as patentes são mercadorias completas, não mais produzidas por trabalhadores independentes, mas por assalariados; o processo de produção das inovações é subsumido ao do capital.[16]

Hoje em dia as patentes podem ser compradas, vendidas, e alugadas (mediante o pagamento de *royalties*), e não há dúvida de que elas funcionam como mercadorias. Na medida em que cada patente corresponde a uma inovação tecnológica, está claro também que o sistema de patentes é responsável pela mercantilização da tecnologia.

Uma das características do momento histórico que vivemos é a valorização do conhecimento tecnológico, que tem sido amplamente comentada e enaltecida. Há inúmeras manifestações desta tendência, e a idéia de uma 'sociedade do conhecimento' é apenas uma delas. Em consonância com isto, o tema das patentes tem figurado na ordem do dia com grande destaque. Em linhas gerais, o que se observa é um processo de *fortalecimento* e *extensão* do sistema de patentes. O fortalecimento corresponde à ampliação dos direitos dos detentores de patentes, e à intensificação da vigilância policial, e das punições aos infratores. A ampliação consiste no estabelecimento de novos tipos de patentes, sendo os mais importantes e mais controvertidos os das patentes para matéria viva – organismos ou partes de organismos.[17] No terreno das relações internacionais, desenvolve-se uma campanha liderada pelos Estados Unidos cujo objetivo é impor este sistema de patentes mais forte e mais amplo a todo o mundo globalizado. O processo não se dá sem resistências, e é isso que tem alimentado tanta polêmica, e tantas

---

[16] G. Ciccotti, M. Cini e M. de Maria, (1976, p.43).

[17] Cf. S. Shulman, (1999).

batalhas nos organismos internacionais que tratam da matéria, bem como nas relações bilaterais entre países.[18]

O tema das patentes é indubitavelmente da maior importância, mas vou me limitar aqui a estas observações gerais. O motivo para isto decorre de uma outra diferença fundamental entre os domínios da ciência e da tecnologia, esta de natureza institucional. Apesar das tendências contrárias que comentarei a seguir, *grosso modo* a pesquisa científica é feita na Universidade, a tecnológica nas empresas privadas. Um indicador desta situação foi mencionado por J.F. Perez, diretor científico da FAPESP, num debate transmitido recentemente pela televisão: apenas 3% das patentes no mundo todo são concedidas a pesquisadores vinculados à Universidade.

Mencionei a FAPESP, e isto me leva à tendência à mudança na situação a que me referi. Uma das facetas do processo de mercantilização da Universidade é a – digamos assim – "tecnologização" da pesquisa que nela se faz.[19] Este movimento consiste na valorização do potencial tecnológico das pesquisas como critério para a distribuição de recursos, em detrimento do ideal da ciência pura, do conhecimento como um fim em si mesmo e, num plano ainda mais concreto, nas campanhas para incentivar os pedidos de patentes por parte dos pesquisadores universitários. Em novembro do ano passado, p. ex., realizou-se um grande simpósio no Rio de Janeiro com este objetivo, o *Scientia 2000: Propriedade Intelectual para a Academia*. A reportagem na revista da FAPESP que noticiou o evento tem por título *De olho no mercado*.[20]

---

[18] Cf. M.P. Ryan, (1998). O tema das patentes também é tratado com destaque nas obras de Lacey e Shiva, principalmente no que se refere ao processo de mercantilização das sementes. Um artigo recente de Lacey que discute especificamente este tópico é *As sementes e o conhecimento que elas incorporam* (2000), no qual, em conformidade com sua visão pluralista, ele demonstra não haver justificativa procedente para limitar à ciência moderna no sentido estrito a noção de conhecimento pressuposta nos critérios legais para a obtenção de patentes. O que está em jogo no caso é a possibilidade de patenteamento das sementes selecionadas pelos próprios agricultores por meio de métodos tradicionais, ao longo dos séculos, as quais servem de ponto de partida para o desenvolvimento de sementes transgênicas patenteáveis.

[19] O que leva à mercantilização não é a tecnologização em si, mas num contexto em que a tecnologia já se encontra totalmente mercantilizada.

[20] *Pesquisa FAPESP*, (2000, p.20-22).

Apesar de a tendência ser bem nítida, por enquanto – lembrando o índice de 3% mencionado por J.F. Perez – os resultados da quase totalidade da pesquisa feita na Universidade não são patenteados, e uma parte apenas um pouco menor nem mesmo é patenteável, de acordo com a legislação em vigor. O conhecimento científico é tradicionalmente tido como um bem público, acessível gratuitamente a qualquer pessoa. Devemos concluir daí que, pelo menos em sua função de produtora de conhecimento científico, a Universidade está livre da mercantilização?

Para responder a esta pergunta, é necessário analisar um pouco melhor o conceito de mercadoria. O caráter de mercadoria de um bem se realiza concretamente quando ele é objeto de uma troca; não de uma troca qualquer, mas de uma troca mercantil. Havendo intermediação do dinheiro, uma troca mercantil é uma operação de compra e venda. A troca de presentes, por outro lado, não é uma troca mercantil: as normas que a regem, e que determinam seu significado social, são totalmente diferentes das da troca de mercadorias. A *doação*, ou *dádiva* simples, isto é, não recíproca, de um bem também constitui uma relação não-mercantil. O grande pioneiro no estudo da dádiva como relação social foi Marcel Mauss,[21] cujos estudos deram origem a uma linha teórica muito vigorosa nos últimos tempos.[22]

No que se refere à ciência, há um texto muito interessante de W.O. Hagstrom, um estudioso de seus aspectos sociais, intitulado 'A doação de presentes como princípio organizador da ciência', onde ele desenvolve as seguintes teses:

> Os manuscritos submetidos a revistas científicas são freqüentemente chamados 'contribuições', e são, na verdade, presentes. Os autores usualmente não recebem *royalties* ou pagamentos de qualquer outra natureza, e suas instituições podem mesmo ter de colaborar para o financiamento da publicação.[...] Em geral, a aceitação de um presente por um indivíduo ou uma comunidade implica o reconhecimento do *status* do

---

[21] Ensaio sobre a dádiva: forma e razão da troca nas sociedades arcaicas, (1974).

[22] Cf. J. Godbout, (1997).

doador e a existência de certos tipos de direitos recíprocos. Tais direitos podem ser o de receber em troca um presente do mesmo tipo e valor, como em muitos sistemas econômicos primitivos, ou a certos sentimentos apropriados de gratidão e respeito. Na ciência, a aceitação de manuscritos por parte das revistas estabelece o *status* de cientista do doador – na verdade, é apenas por meio de tais doações de presentes que este *status* pode ser obtido – e garante a ele prestígio dentro da comunidade científica. [...] A organização da ciência consiste numa troca de reconhecimento social por informação.[23]

Um bem pode participar não apenas de uma, mas de várias operações de troca ou doação. Um relógio, por exemplo, pode ser objeto de uma transação de compra e venda, mas é possível que, num segundo momento, o comprador o dê de presente a alguém. Enquanto é produzido para a venda, e efetivamente vendido, um relógio é uma mercadoria; quando é dado de presente, não. Isto significa que o caráter de mercadoria de um bem não é um atributo intrínseco ao objeto, mas sim à relação de que participa. Em muitos contextos, e particularmente neste relativo ao conhecimento científico, convém tomar como conceito básico não o de *mercadoria*, mas o de *relação mercantil*.

Podemos agora responder à pergunta em pauta. A resposta é: o fato de que o conhecimento científico ainda não seja patenteado não significa que ele não é – ou melhor, não está sendo – mercantilizado. Embora a divulgação dos resultados da pesquisa continue sendo uma relação não-mercantil, isto não vale para os processos de produção do conhecimento científico na Universidade.

Desde sua produção até seu consumo, ou usufruto final, um bem pode ser objeto de uma série de operações de compra e venda. Tomando um caso bem simples deste ponto de vista, as frutas, por exemplo, em geral têm origem nos produtores diretos, os sitiantes, que as vendem aos atacadistas, que as revendem aos feirantes e quitandeiros, sendo então compradas pelos consumidores – os quais podem comê-las eles próprios, ou talvez dá-las de

---

[23] W.O. Hagstrom, (1972, p.105-106).

presente. Gostaria de sugerir que, na produção, e na etapa inicial de circulação do conhecimento científico, tudo se passa como se os pesquisadores fossem os produtores diretos (o equivalente dos sitiantes), a Universidade o atacadista, e o Estado, como representante da sociedade, o comprador final. Ou, melhor dizendo, esta é uma das diretrizes da reforma que está sendo imposta à Universidade, conseqüência da compulsão capitalista, exacerbada em sua presente fase neoliberal, a transformar tudo em mercadoria.[24]

A oposição quantitativo/qualitativo é essencial no conceito de mercadoria. Nas sociedades monetizadas, ser objeto de uma relação mercantil, para um bem, significa ter um valor medido em unidades de dinheiro. O dinheiro é o equivalente universal, e, desta forma, tendo um valor monetário, um bem automaticamente é colocado numa relação *quantitativa* com todas as outras mercadorias.

Quando se pensa nas relações da Universidade com a sociedade, representada pelo Estado, um viés que aparece como muito natural, e em geral tem funcionado como pressuposto do debate, é o de ponderar que, se a sociedade paga impostos, que são recolhidos pelo Estado, e em parte repassados à Universidade, então a Universidade tem que responder, tem que dar satisfação à sociedade explicando como os recursos foram gastos. Até aí tudo bem, o problema aparece, ou seja, o caráter mercantil da relação começa a se manifestar quando 'dar satisfação' é substituído pelo "prestar contas", entendido num sentido cada vez mais literal, com ênfase nas contas, isto é, algo numérico, quantitativo. Ou seja, para se justificar, a Universidade tem que estabelecer um valor monetário para aquilo que produz, o qual, comparado com os recursos que recebe, vai dizer se a sociedade está fazendo um bom negócio. Em outras palavras, nesta perspectiva, a relação entre o Estado e a Universidade se reduz a uma relação mercantil, de compra e venda, em

---

[24] A comparação com os sitiantes visa contemplar a relativa autonomia dos pesquisadores na escolha dos projetos a que se dedicam – análoga à liberdade que um sitiante tem para escolher entre plantar laranjas, maçãs ou abacaxis. Em contextos em que este aspecto não é importante, o modelo mais adequado é o da fábrica: a Universidade como uma fábrica de conhecimento, os pesquisadores como operários.

que o fundamental é saber se o preço é justo, se o peixe vale o que se paga por ele.

O aspecto quantitativo da mercadoria se manifesta ainda com mais força no outro nível do processo de produção da ciência, o das relações da Universidade com seus pesquisadores. O princípio do "dar satisfação" aplica-se também neste nível, e nele está a origem de todo o debate contemporâneo sobre a avaliação. Com base no princípio, muitos defensores da avaliação a apresentam como algo inteiramente natural, pertencente à ordem das coisas, algo a que nenhuma pessoa minimamente razoável pode se opor. Esta argumentação entretanto dá origem a um problema. Se a necessidade de avaliação é assim tão óbvia, tão irrecusável, por que só agora, no período que coincide com a ascensão do neoliberalismo, o tema tem sido objeto de tanta polêmica? Uma reflexão sobre esta pergunta revela, a meu ver, que a avaliação em pauta, que os reformadores neoliberais tentam impor aos pesquisadores, não é a avaliação razoável, necessária para o "dar satisfação", mas sim para o 'prestar contas', em seu sentido literal, quantitativo. Muitos defensores da Universidade pública, não-mercantilizada, por não terem clareza a respeito da transição do "dar satisfação" para o "prestar contas", acabam fazendo concessões indevidas aos reformadores neoliberais no que se refere à avaliação.

Admirando-se com o poder de expansão do capitalismo, Marx e Engels afirmam, numa passagem famosa, que ele é capaz de derrubar as muralhas da China. A muralha da China no caso é o mais elementar bom senso, que diz não se prestarem as contribuições ao conhecimento científico a avaliações quantitativas, que implicam colocar cada uma delas numa relação quantitativa com todas as demais. O vigor da tendência mercantilizadora do capitalismo se manifesta em sua capacidade de fazer as pessoas aceitarem, por exemplo, que, se um cientista publica duas vezes mais artigos que outro, então é duas vezes mais produtivo, sem levar em conta a qualidade dos artigos publicados, ou mesmo que a relação entre as contribuições de dois pesquisadores quaisquer possa ser expressa por uma simples ponderação numérica.

Um outro traço essencial da relação mercantil é o que se pode chamar de princípo da maximização do ganho, o princípio de comprar pelo preço mínimo e vender pelo máximo que se consegue obter. Deste princípio decorre a postura das camadas dirigentes da Universidade, que controlam a distribuição de recursos, de fixar o salário dos pesquisadores no nível mínimo que a correlação de forças permite, e exigir o máximo em troca. Este exigir o máximo é o produtivismo, a prática de manter sempre esticada a corda das cobranças por maior produção – produção medida em termos quantitativos, bem entendido: número de artigos publicados, número de participações em congressos, número de orientandos, etc.

Com isto podemos retomar o fio que ficou solto ao fim da primeira parte desta exposição. A tarefa anunciada como objetivo da segunda parte era a de mostrar a existência de uma incompatibilidade entre o princípio da responsabilidade social na ciência e as diretrizes da reforma neoliberal da Universidade. Em vista das considerações apresentadas, a incompatibilidade salta aos olhos. O princípio em pauta é o de que cabem aos cientistas não só as atividades por assim dizer internas a cada ciência, mas também a reflexão sobre o significado social destas atividades. Pode-se acrescentar que tal reflexão não pode ser entendida como uma tarefa para as horas vagas, a que cada cientista pode se dedicar individualmente. Uma reflexão rigorosa, de verdade, só pode ser desenvolvida como parte da vida institucional, e desde que haja possibilidade de que ela venha a influenciar a atividade científica no sentido estrito – por exemplo, na escolha dos projetos de pesquisa a serem empreendidos. Por outro lado, os resultados de tal reflexão, segundo os cânones vigentes, não contam pontos na medida da produtividade do pesquisador. Para o cientista submetido ao sistema de avaliação neoliberal, gastar tempo refletindo sobre sua prática é *perder* tempo, e para a mentalidade mercantil, perder tempo é nada menos que um crime.

Para tornar esta análise um pouco mais concreta, e dar substância à idéia da reforma neoliberal na Universidade, convém fazer alguns comentários sobre o debate entre Bresser Pereira e Marilena Chauí que mencionei no início. O tema proposto, vamos lembrar, foi *Que Universidade queremos: crítica ou produtivista?* Em sua exposição inicial, o ex-ministro recorreu, com certa esperteza, a um jogo de palavras entre "produtivista" e "produtiva", e declarou-se defensor de uma Universidade produtiva *e* crítica – ou seja, não haveria incompatibilidade entre uma coisa e outra. Na resposta, Marilena afirmou logo no início que as propostas de Bresser na verdade correspondem perfeitamente ao que se costuma entender por Universidade produtivista. Nosso objetivo aqui será o de explicitar aspectos da visão de Bresser que substanciam a alegação de Marilena, e demonstram haver de fato uma incompatibilidade entre a Universidade produtivista e a crítica – entendida como aquela em que há espaço institucional para a responsabilidade social do cientista.

O primeiro dos ítens da reforma necessária, segundo Bresser, diz respeito à competitividade. "Precisamos de uma universidade competitiva, no nível nacional e no nível internacional. [...] Ou somos capazes de ser competitivos nacionalmente, entre nós, e no nível internacional, ou não teremos uma universidade com legitimidade" (p.45).[25] Ora, toda competição pressupõe um conjunto de regras, de critérios para estabelecer quem vence e quem perde. Sem vencedores e perdedores não há competição. Nas competições esportivas, as regras têm certo grau de liberdade, no sentido de que estão a serviço apenas da própria competição: em cada esporte, boas regras são as que tornam sua prática mais interessante. Nas competições da vida real, os critérios têm uma outra dimensão, refletem determinados valores e interesses. No caso da competição científica, os critérios refletem, naturalmente, os valores e interesses ligados à concepção ortodoxa dominante de ciência. Entrar na competição da maneira como Bresser recomenda implica não questionar tal concepção. Aceitas as regras estabelecidas, e adotado como primordial o objetivo de vencer, de subir no *ranking*, a reflexão sobre os critérios equivale a um desperdício de tempo, a uma falta de concentração que reduz as possibilidades de sucesso.

---

[25] O número de página indicado nesta, e nas outras citações a seguir remete à transcrição do debate publicada na *Revista da ADUSP* (cf. nota 1 acima).

Num outro trecho de sua fala, Bresser tratou da questão salarial. Em suas palavras: "Mas o drama também [...] é que a Universidade trata todo mundo igual. Seja um professorzinho de baixíssima qualidade, com uma titulação da pior qualidade, seja uma Marilena Chauí, se for doutor ganha a mesma coisa. Ponto. É um escândalo isso. Não incentiva ninguém, não ajuda ninguém." (p.44) Ou seja, para Bresser, a paixão intelectual, a satisfação do trabalho bem feito, o reconhecimento dos colegas e alunos, o gosto de pertencer a uma instituição, orgulhar-se dela, e contribuir para seu fortalecimento, tudo isso é secundário, incapaz de motivar o pesquisador a trabalhar melhor: se não há incentivo monetário, não há incentivo. Será que se os professores universitários dessem esse valor à recompensa pecuniária, estariam de tal forma mal informados a ponto de escolher esta carreira?[26] E o pior é que a concepção de Bresser não é apenas falsa por não corresponder às motivações, aos valores que de fato servem de diretrizes para os cientistas. Os cien

[26] É interessante comparar a opinião de Bresser com a análise de Hagstrom numa outra passagem do artigo já citado: "Um outro tipo de sanção que não é de grande importância na ciência, não obstante as freqüentes alegações em contrário, consiste em recompensas extrínsecas, principalmente posição e dinheiro. Sustenta-se que os cientistas publicam, selecionam problemas e métodos a fim de maximizar tais recompensas. As políticas universitárias que baseiam a progressão na carreira e o salário na quantidade de publicações parecem implicar que isto seja verdade, que as contribuições de pesquisa dos cientistas não são de forma alguma dádivas, mas sim serviços em troca de salário. Embora seja importante que as recompensas extrínsecas sejam mais ou menos consistentes com o reconhecimento, o ideal é que elas sigam o reconhecimento, e esta parece ser a prática geral. De qualquer forma, a explicação do comportamento científico em termos de recompensas extrínsecas é enfraquecida pelo fato de que muitos cientistas em altas posições, cujas recompensas extrínsecas não são afetadas por seu comportamento, continuam sendo altamente produtivos, e adotando os objetivos e normas científicos. Além do mais, os cientistas em geral acham degradante e impróprio submeter manuscritos para publicação primordialmente para obter posições, sem se preocupar com que o trabalho seja lido por outros pesquisadores." (*op. cit.*, p.114) Um bom exemplo de como uma altíssima produtividade, naquilo que realmente importa, pode ser mantida independentemente das "recompensas extrínsecas" de que fala Hagstrom é o da Universidade de Brasília em seu período inicial, antes de ser atacada pela ditadura militar. Em seu excelente relato no livro *A universidade interrompida: Brasília 1964-1965* (1998), o Prof. Roberto Salmeron registra como o entusiasmo pela causa motivava as pessoas envolvidas na construção da Universidade a se dedicarem integralmente ao trabalho, apesar da precariedade das condições e dos baixos salários.

tistas não são seres superiores, não são menos sujeitos, em comparação com qualquer outra categoria de trabalhadores, a terem seus valores moldados pelo mundo em que vivem, e especialmente pelas instituições em que trabalham. Tendo sua vida profissional regida por valores mercantis, nada garante que eles não venham a interiorizar esses valores. Sendo a reforma neoliberal levada a seu termo, não será de surpreender que ao fim do processo estejam reduzidos apenas a pessoas cuja única preocupação na vida é ganhar mais dinheiro. Assim, se a concepção é falsa por não corresponder à realidade no presente, ela tem por outro lado o poder de transformar esta realidade, adaptando-a à idéia. Se a Universidade trata seus pesquisadores como trabalhadores alienados, que vendem sua força de trabalho pelo melhor preço, e se submetem a não terem espaço institucional para refletir sobre sua prática, então – se não houver resistência, é claro – eles vão se transformar exatamente nisso.[27]

E, finalmente, um comentário sobre a aposentadoria dos professores, que, segundo Bresser, se dá "em idades ridiculamente baixas" (p.44). O que Bresser se esquece de mencionar é a grande proporção de professores que, mesmo depois de aposentados, continuam a prestar serviços à Universidade, nos programas de pós-graduação. Trazemos à tona este fato não para apresentá-lo como uma compensação pela idade supostamente baixa em que se dariam as aposentadorias, mas pelo que ele revela a respeito das motivações dos professores. Por que Bresser o ignora? Porque, em sua visão mercantilista, a idéia de uma pessoa trabalhar sem retribuição pecuniária é como a de um círculo quadrado, algo que não pode existir.

Para terminar, duas observações. A primeira é que a mercantilização da Universidade foi tratada aqui apenas no que se refere à função, digamos, investigativa. Um outro terreno onde o processo é no mínimo tão preocupante é o da função docente, em

---

[27] Sobre o condicionamento dos valores pessoais pelos valores incorporados na sociedade, e especialmente nas instituições ou empresas em que as pessoas trabalham, v. Lacey, *Valores e atividade científica*, p. 43-44.

relação à qual me limito a chamar a atenção para o excelente artigo com que o Prof. Salmeron contribui para este volume, 'Escola privada e universidade pública', que consegue, em relativamente poucas palavras, esboçar um quadro bastante abrangente do estado atual da privatização e mercantilização do ensino no Brasil e no mundo.

A segunda observação diz respeito ao socialismo. Se nossas ponderações se sustentam, inverter o sentido do processo de mercantilização da Universidade e da ciência abre caminho para uma reflexão consistente sobre o papel da ciência e da tecnologia no mundo contemporâneo, uma reflexão imprescindível para acabar com o escândalo em que consiste a manutenção da miséria, da violência, da injustiça social, e da destruição do meio ambiente ao lado do poder cada vez mais amplo de dominar a natureza. Para qualquer pessoa de bom senso, isso já constitui razão suficiente para se empenhar na luta anti-mercantilização. Para aqueles que, apesar dos reveses, continuam a endossar os valores do socialismo, e se propõem a recuperá-lo como bandeira, há uma razão suplementar. Sendo aceita a definição mínima do socialismo como negação da mercadoria, a luta pela desmercantilização da Universidade pode ser vista como uma luta pelo socialismo.

Referências

CICCOTTI, G.; CINI, M.; Maria, M. de. The production of science in advanced capitalist society. In: ROSE, H.; ROSE, S. (Org.). *The political economy of science*. London: MacMillan, 1976.

GODBOUT, J. *O espírito da dádiva*. Lisboa: Instituto Piaget, 1997.

HAGSTROM, W. O. Gift-giving as an organizing principle in science. In: BARNES, B. (Org.). *Sociology of science*. Harmondsworth: Penguin, 1972.

KUHN, A função do dogma na investigação científica. In: DEUS, J. D. de (Org.). *A crítica da ciência*: sociologia e ideologia da ciência. Rio de Janeiro, Zahar, 1979.

LACEY, H. Ciência e valores. In: _____. *Valores e atividade científica*. São Paulo: Discurso Editorial, 1998a.

_____. Valores e atividade científica. São Paulo: Discurso Editorial, 1998b.

_____. *Is science value-free?*: values and scientific understand. New York: Routledge, 1999a.

_____. The feminist approach. In: _____. Is science value-free?: values and scientific understand. New York: Routledge, 1999b.

_____. As sementes e o conhecimento que elas incorporam. *São Paulo em Perspectiva*, v. 14, n. 3, jul./set. 2000.

_____. Entrevista. *Teoria e Debate*, ano 14, n. 16, nov. 2000 / jan. 2001.

LATOUR, B. *Ciência em ação*. São Paulo: Editora UNESP, 1987.

LEBRUN, G. Sobre a tecnofobia. In: A. NOVAES, A. (Org.). *A crise da razão*. São Paulo: Companhia das Letras, 1996.

MACHADO, N. J. *Educação e cidadania*. São Paulo: Escrituras, 1997.

MAUSS, M. Ensaio sobre a dádiva: forma e razão da troca nas sociedades arcaicas. In: _____. *Sociologia e antropologia*. São Paulo: E.P.U./EDUSP, 1974. v. 2.

OLIVEIRA, M. B. A epistemologia engajada de Hugh Lacey. *Manuscrito,* v. 21, n. 2, 1998.

_____. *Da ciência cognitiva à dialética*. São Paulo: Discurso Editorial, 1999.

_____. A epistemologia engajada de Hugh Lacey II. *Manuscrito*, v. 23, n. 1, 2000.

PESQUISA FAPESP. São Paulo: FAPESP, n. 60, p. 20-22, dez. 2000.

PIERUCCI, A. F. Religião. *Folha de São Paulo*, 31 dez. 2000. Caderno *Mais*, p.21.

REVISTA DA ADUSP. São Paulo: ADUSP, n. 21, dez. 2000.

ROSS, A. (Org.). *Science wars*. London: Duke University Press, 1996.

RYAN, M. P. *Knowledge diplomacy*: global competition and the politics of intellectual property . Washington: Brookings Institution, 1998.

SALMERON, R. *A universidade interrompida*: Brasília 1964-1965. Brasília: Editora UnB, 1998.

SHIVA, V. *The violence of the green revolution*. London: Zed Books, 1991.

_____. Recursos naturais. In: SACHS, W. (Org.). *Dicionário do desenvolvimento*. Petrópolis: Vozes, 2000.

_____. *Biopirataria*: a pilhagem da natureza e do conhecimento. Petróplis: Vozes, 2001.

SHULMAN, S. *Owning the future*. Boston: Houghton Mifflin, 1999.

PENSAR A CRISE DA UNIVERSIDADE PARA ALÉM DAS QUESTÕES CONJUNTURAIS[1]

Tullo VIGEVANI[2]

O tema é a crise da Universidade. Tentarei refletir sobre algumas questões a ele relacionadas, procurando ir além do imediato. Um aspecto que chama a atenção ao se discutir a crise da universidade brasileira, particularmente da universidade pública, é a maneira defensiva como o tema é tratado. De acordo com os liberais, isso se deveria ao caráter corporativo do debate. Nos casos em que foram produzidos estudos competentes, como o elaborado pelo Instituto de Estudos Avançados da Universidade de São Paulo (2000), a questão central foi demonstrar a qualidade, a eficácia e a produtividade do ensino e da pesquisa no setor público do ensino universitário. É importante reconhecer que o tema "crise" surge em ondas sucessivas nos anos noventa, no Brasil e no mundo. Em momentos de maiores tensões, interessa a setores da opinião pública: foi o caso das greves das universidades federais na última década do século XX, das greves das três universidades estaduais paulistas, particularmente a de abril/junho de 2000. Sugiro que, ao invés de insistir sobre a sua importância, eficácia e superioridade relativa no cenário nacional, a melhor forma de defender a universidade pública, gratuita e de qualidade seja discutir o papel e a razão de ser da universidade no mundo contemporâneo, neste alvorecer do século XXI. Enfim, debater sobre o significado profundo da universidade e nos abrir ao questionamento de sua centralidade. Aceitar o debate em campo aberto.

---

[1] Algumas das idéias aqui discutidas foram apresentadas na Mesa Redonda "A universidade pública que temos, a ciência que fazemos e a sociedade que queremos", realizada em 5 de setembro de 2000 em Presidente Prudente, durante a 2ª Semana de Geografia, Faculdade de Ciências e Tecnologia, UNESP.

[2] Faculdade de Filosofia e Ciências – UNESP – Campus de Marília e CEDEC.

A crise do ensino superior público teve como subproduto o estímulo à produção de pesquisas e de textos demonstrando a sua melhor qualidade. Mas isso não é mais suficiente. Não basta ser o melhor no plano nacional brasileiro. É preciso ser melhor também segundo padrões internacionais e, sobretudo, ter um papel relevante na sociedade contemporânea, desvendando os caminhos do futuro. Portanto, não se podem ignorar questionamentos da sociedade relativos à produtividade, à necessidade de um potencial aumento de vagas no ensino superior, ao papel da universidade na busca de soluções para uma sociedade justa, o que não significa a aceitação de todos eles. Isso implica adequada produção de conhecimentos na área científica, tecnológica e de humanidades, para eliminar a crescente diferença em relação às regiões desenvolvidas do mundo, ainda que adotando modelos profundamente diferentes. Isto é, produzir o ensino e os conhecimentos que possam contribuir para melhorar o nível intelectual e o nível de vida de toda a sociedade ou de alguns setores, particularmente os menos beneficiados pelo desenvolvimento científico e cultural contemporâneo.

É insuficiente analisar a crise de forma circunstancial, olhando apenas para as questões concretas, mesmo quando muito importantes, ou discutir a universidade pública de acordo com os problemas econômicos que atravessa, especificamente nos últimos anos e últimas décadas. A universidade tem que ser vista no seu conjunto, no contexto social em que se situa e no período histórico vivido.

A universidade na história

A universidade é uma instituição surgida em plena Idade Média, na Europa. Anteriormente, tanto no mundo greco-romano quanto entre outras civilizações, as academias e os centros de estudo tinham características diversas, muitas vezes ligadas a pessoas de grande saber ou a necessidades originadas no poder político e espiritual. Artes e ciências, como sabemos, tiveram origem nos palácios e nos templos. Segundo Trotsky, "a cultura representa a soma orgânica de conhecimentos e de informações que caracteriza toda sociedade ou, ao menos, a sua classe dirigente. Ela abarca e penetra todos os domínios da criação humana e unifica-os num sistema" (TROTSKY, 1980, p. 173). O conhecimento científico contemporâneo muitas vezes se apropriou da sabedoria popular e tem como característica a exigência de instituições adequadas. Ao relatar como se inventa um medicamento, S. Ferreira (1999) descreve a diferença entre sensação, percepção, sensibilidade, experiência popular, aptidão e conhecimento científico. Todas são qualidades necessárias, mas o conhecimento exige método, mesmo no campo das artes e das humanidades. A crítica da ciência reducionista, como fazem Lacey e Oliveira (2001) ao analisarem a obra de Shiva (1991), que entre outros temas discute biodiversidade e proteção do meio ambiente, mostra que aquela tem como uma de suas características tratar os fenômenos "*exclusivamente* em termos de suas estruturas subjacentes e componentes moleculares, de seus processos e interações, e das leis que os governam, abstraindo de suas relações com a vida e a experiência humanas, bem como de suas relações sociais e econômicas" (LACEY; OLIVEIRA, 2001: 15). Apesar disso, os autores não descartam totalmente a ciência reducionista, reservando para ela o papel de um elemento de um sistema de conhecimento mais amplo, que inclui o estudo dos fenômenos em suas relações com as esferas social e econômica.

A universidade surgiu no século 10 (em 990), com a criação da Universidade de Bolonha, em plena Idade Média. Qual é a razão do surgimento dessas instituições em Bolonha, em Paris, e das demais na Europa ainda na Idade Média? Muitas vezes ligadas à Igreja, mas separadas dela, as universidades surgem como resultado da necessidade de *loci* adequados para a concentração, a reflexão, a reprodução e a produção do saber. No início da Idade Média, nos séculos anteriores, esta atividade ocorria exclusivamente nos conventos. Isso era insuficiente, pois os *doutores* poderiam ser formados também na sociedade leiga, produzindo benefícios para as classes dominantes.

A razão de ser inicial da universidade permanece atual. Em outros termos, a universidade existe visando manter-se como templo do saber e da competência. Se essa idéia parece óbvia, por outro lado é plena de conseqüências, muitas das quais escapam ao senso comum. Em princípio, a legitimidade da instituição baseia-se na sua contribuição à reprodução e à produção do saber, o que corresponde, respectivamente, a ensino e a produção de novos conhecimentos. Nesse sentido, cabe reconhecer que valores importantes da sociedade nem sempre são prioritários na vida universitária. Ao menos não o foram. Temas centrais nas sociedades contemporâneas, como democracia, nem sempre podem encontrar espaço adequado na vida acadêmica. Em outras palavras, o critério pelo qual se pauta a universidade deveria ser o da competência. A conseqüência não é inócua e é sentida quotidianamente: os professores são selecionados, ou deveriam sê-lo, com base em sua preparação intelectual e didática, não em suas idéias políticas ou pelo voto dos alunos. Os critérios de promoção na carreira também são estabelecidos pelo saber, pelas teses e pelos exames, não pelo nível de popularidade.

Estado e universidade

Teoricamente, na vida universitária o controle democrático é introduzido pelo Estado, cuja legitimidade é originada nos princípios da democracia. Ou seja: o poder do saber é temperado pelo poder do Estado democrático. Isto implica medidas concretas como listas tríplices e responsabilidade perante a legislação. O fortalecimento da democracia na sociedade contribui para estabelecer mecanismos pelos quais dentro dos muros da universidade seus órgãos possam complementar competência com democracia. A tendência para o fortalecimento de formas de consulta ampla à comunidade nos casos de escolha dos dirigentes ampliou-se com a introdução da proporcionalidade, do direito a voto, ainda que minoritário, de funcionários e estudantes etc. Nem sempre formas de voto igualitário produziram os resultados esperados.

Definidos alguns parâmetros do debate, cabe considerar outras questões também decisivas para compreender a crise da universidade numa perspectiva de longo prazo. Apesar das origens remotas acima lembradas, à universidade não convém considerarse uma instituição insubstituível, um valor permanente da humanidade. Todos os valores são historicamente datados e sua avaliação, positiva ou negativa, depende do momento e do papel por eles exercido. No caso, para ser avaliada positivamente pela sociedade, que, em última instância, é a responsável por ela, a universidade deve estar profundamente imbricada e fundida com as necessidades e os interesses, ainda que não imediatos, dessa mesma sociedade. Isso não se refere apenas às instituições públicas: a questão da legitimidade diz respeito também à esfera privada. Em outras palavras, como para outras instâncias sociais e, particularmente, para outros corpos separados, a questão da legitimidade é importante e, mesmo, vital. Deixar esse tema de lado fortalece a posição dos que, num contexto de crise do Estado de bem estar social e do próprio Estado, entendem que o ensino público absorve muitos recursos sem o retorno esperado.

Ao analisar as razões de fundo do enfraquecimento das bases de sustentação do *welfare state* na década de oitenta, Offe mostrava que as razões materiais, ainda que existindo, são menos importantes que as razões situadas no campo dos valores. "Não é só a produção permanente de bens públicos que se torna, como demonstrarei, impossível sem alguma concepção subjacente de semelhança e identidade coletiva; também é impossível definir precisamente a noção de bem público sem pelo menos uma referência implícita à idéia de identidade coletiva" (OFFE, 1989, p. 301). A questão da identidade, o que a sociedade projeta para si mesma e a concepção de mundo subjacente, são fundamentais no trabalho de produção de valores coletivos. Para o autor, "a mudança decisiva não se dá ao nível dos acontecimentos e fatos objetivos, mas no âmbito das estruturas interpretativas e da adoção estratégica de convicções e expectativas" (OFFE, 1989, p. 303). Segundo essa linha de pensamento, eventuais atitudes utilitaristas de parte de áreas governamentais, ou de grupos da opinião pública, têm a ver menos com atitudes calculistas e mais com a rearticulação de condições culturais e estruturais que condicionam esse mesmo utilitarismo. Isso reforça o argumento da permanente necessidade de reelaborar a legitimidade da universidade pública, gratuita e de qualidade. Essas idéias têm conseqüências concretas, como, por exemplo, aquelas implícitas no debate sobre o aumento de vagas nas universidades públicas, que muitas vezes se contrapõe à necessidade de preservar a qualidade: são duas perspectivas carregadas de legitimidade.

Os temas da legitimidade e da relação com a concepção de mundo levam a outros pontos de reflexão, como a da necessidade de a universidade intervir também nas grandes questões universais e nacionais. Provavelmente, no século XX a universidade brasileira não respondeu adequadamente a todos os problemas ou não teve os instrumentos necessários para fazê-lo. Ao analisar o golpe de 1964, O. Ferreira afirmou que se deve buscar uma das razões para a precipitação dos acontecimentos na debilidade de projeto político, também pela escassa participação da universidade em sua formulação (FERREIRA, 1986). Naquele período, estiveram em debate alguns projetos políticos: os potencialmente autoritários, como o elaborado pela Escola Superior de Guerra, os de caráter nacionalista, formulados no Instituto Superior de Estudos Brasileiros (VIEIRA PINTO, 1961), ambos sob a proteção do Estado. A produção intelectual da universidade não teve oportunidade de vincular as grandes questões em debate. Isto é, as necessidades universais e brasileiras não mobilizaram a energia acadêmica existente para a sua análise, ainda que a universidade não tivesse que se preocupar com uma orientação normativa. Contribuir para compreender o mundo circundante deveria ser um terreno apropriado e privilegiado da instituição universitária. A questão do projeto político, entendido como visão de mundo, é essencial para discutir a crise da universidade, pois nele se origina a energia que justifica uma universidade de qualidade. Sem uma adequada visão de mundo, ou quando esta visão é apenas o resultado de assimilação repetitiva não criativa, sem esforço inovador, os estímulos para o ensino e para a pesquisa de alto nível caem ou desaparecem. Em termos práticos, isto fortalece as posições favoráveis à massificação, à queda da qualidade, à separação de ensino e pesquisa. E leva, como se poderia concluir da análise de Offe, à redução dos recursos públicos para o ensino. Praticamente, a falta de um projeto político criativo, que valoriza os esforços inovadores, traz como corolário o rebaixamento da qualidade, a aceitação de hierarquias na universidade, e aquelas situadas no Terceiro Mundo, com escassez de recursos, teriam que se adaptar às situações de inferioridade. No Brasil, isso sugere que a excelência deva ser excepcional, existindo universidades de primeira linha, com pesquisa, e outras de segunda e terceira linhas.

Desde seu início, a universidade teve a pesquisa como essência, mola propulsora e base de legitimação. Devemos lembrar que as pesquisas, descobertas científicas ou inovações no campo do pensamento e da arte, nem sempre surgiram nas instituições de ensino; palácios e templos tiveram um grande papel. Em séculos anteriores, de maneira casual, mas a partir do século XIX, de forma sistemática, outras instituições foram significativas na produção de novos conhecimentos. Necessidades militares levaram e levam a estudos inovadores, a resolução de problemas de transporte, a superação de doenças, também levaram a grandes descobertas. O desenvolvimento do capitalismo e as empresas privadas estimularam novas tecnologias. A competição internacional influenciou áreas tão importantes como geografia, antropologia, física nuclear, aviação e descobertas espaciais. Devemos assinalar que a pesquisa básica no século XX foi quase toda desenvolvida a partir da universidade e de outras instituições públicas. Há descobertas produzidas em laboratórios não universitários, obras de filosofia ou de história escritas por intelectuais não professores. No entanto, o desenvolvimento sistemático deu-se dentro dos muros das instituições de ensino. Os cérebros que atuam em empresas privadas ou órgãos públicos e os milhares de cientistas e intelectuais espalhados pelo mundo tiveram, em grande medida, origem e devem sua formação ao ensino superior de qualidade.

Os números da universidade

O debate sobre a crise da universidade pública no Brasil estimulou uma adequada produção de estudos que demonstram cabalmente que o ensino e a pesquisa de qualidade desenvolvidos nas instituições públicas, federais e estaduais, são responsáveis pela quase totalidade da produção científica e também grande destaque nos índices de qualidade de ensino. A essas instituições devemos somar as chamadas públicas não estatais, isto é, uma parte das universidades católicas ou confessionais e entidades como a Fundação Getúlio Vargas. Os dados existentes mostram que o papel do ensino público é absolutamente decisivo para projetos nacionais de grande alcance e para políticas de superação do atraso. Carvalho da Silva (2000a, 2000b), Bosi (2000a, 2000b) e Neves Ramos (2000) apresentam dados inegáveis: 89% dos cursos de pós-graduação são oferecidos pela universidade pública e 91,5% da produção publicada também. Segundo o Conselho Nacional de Pesquisa (CNPq), 78,3% dos grupos de excelência I e II se originam nas universidades federais e estaduais. Poder-se-ia argumentar que esses dados retratam a situação existente, mas não captam as perspectivas possíveis devido à grande ampliação de vagas de terceiro grau na rede privada na década de noventa, tendência que deverá se manter nos primeiros decênios do século XXI. Esse aumento, de acordo com a nova legislação, induz à contratação de professores mais qualificados, detentores de títulos de pós-graduação.

Cabe, sem dúvida, uma análise mais aprofundada; porém, tudo indica que a competência relativa do ensino público deverá se manter. Segundo o Ministério da Educação (2000), já em 1960 as instituições privadas respondiam por 44% das matrículas, num total geral de 95.691 alunos. Em 1999, o setor privado passou a representar 64% do total de matrículas, ao todo 2.377.715. Portanto, houve aumento percentual, mas não drástico. O crescimento de estudantes universitários foi espetacular em números absolutos: quase 25 vezes em 40 anos, enquanto no mesmo período a população aumentou menos de 3 vezes. Desde 1960, a participação do setor privado já era significativa, mas a importância na pesquisa e seu papel qualitativo continuaram pequenos. O crescimento proporcional do setor privado no número de matrículas deve merecer uma análise específica, pois sinaliza projeções importantes. De um lado, a tendência internacional ao aumento da escolaridade; de outro, a existência de uma clientela não atendida pela rede pública, muitas vezes pobre ou de classe média baixa. Esta pressiona por uma oferta de produtos *tradables*, ofertados ao mercado para preencher um segmento de demanda, mas sem qualquer relação adequada às necessidades econômicas e sociais do país, com algumas exceções. Convém assinalar que não se pode ignorar a tendência internacional à universalização do ensino superior. No debate sobre a crise da universidade pública, o número limitado de vagas deverá de algum modo ser equacionado para responder de forma convincente às pressões. No Brasil, o problema das vagas é diferente daquele ocorrido nas primeiras duas décadas do século XX em alguns países europeus, na Argentina e no Uruguai, onde o ensino público de primeiro e segundo grau universalizou-se, com qualidade. O aumento do número de vagas universitárias deve se ligar a uma questão mais ampla: a melhora do ensino de primeiro e segundo graus, essencial no Brasil atual.

Portanto, junto com o tema da demanda e das vagas disponíveis, surge a questão da articulação dos diferentes níveis de ensino. Para manter a legitimidade no debate público, é preciso reconhecer a grande precariedade do ensino de primeiro e de segundo graus, que os cursos de educação das universidades públicas estudam há décadas. Ao mesmo tempo, num país pobre como o Brasil, de grande escassez de recursos orçamentários, as decisões quanto à sua distribuição são essenciais. O ensino universitário de qualidade é caro, e essa é uma das razões da dificuldade, senão impossibilidade, para o setor privado custeá-lo, a não ser em casos localizados. Isso leva diretamente a um tema fundamental e clássico nos debates sobre a educação: seu significado para a sociedade.

Para abordar essa questão, ainda que de forma rápida, é preciso relacioná-la com o desenvolvimento, um dos problemas centrais do mundo contemporâneo, particularmente para os países do Terceiro Mundo. Hoje, é comum falar que o fator produtivo mais importante é o capital humano, na forma de inteligência e capacidade criativa. Essa constatação deve ser acoplada ao debate sobre o potencial de investimento na capacitação desse mesmo capital humano. Ao longo de todo o século XX, discutiram-se as causas da pobreza e as razões do subdesenvolvimento. Nos anos noventa, análises sustentadas por órgãos internacionais como o

Banco Mundial (WORLD BANK, 2000) insistem em que as deficiências do ensino básico e médio tornaram-se obstáculos para superar o subdesenvolvimento e a pobreza. O Ministério da Educação e secretarias estaduais de educação incorporam o diagnóstico (SIMÕES BUENO, 2000), um argumento forte, explícito ou não, para justificar, ainda que a longo prazo, uma retração do ensino universitário público de qualidade. Também nesse caso, a discussão sobre a crise da universidade deve considerar a realidade. Para a opinião pública às voltas com o ensino público básico e médio de baixa qualidade, os altos gastos da universidade, federal ou estadual, podem efetivamente soar como excessivos. Intervir nessa polêmica exige retomar as reflexões sobre a política educacional em seu conjunto. Quando essa política e sua eficácia são relacionadas às necessidades gerais do país, cabe lembrar que debates já clássicos sobre o desenvolvimento sugerem ser impossível diagnosticar um fator único capaz de viabilizar o *take off* de uma nação.

Lewis (1978), em trabalho que se tornou referência, comparou alguns países no início do século XX com sua situação na década de setenta – Argentina e Uruguai com Austrália e Nova Zelândia – e demonstrou ser impossível atribuir a um único fator as razões da estagnação ou do progresso. Os índices de qualidade de vida, inclusive o educacional, na Argentina e no Uruguai em 1900, estavam entre os mais avançados do mundo. Nada sugeria que seriam levados à situação de países subdesenvolvidos na segunda metade do século XX. Portanto, o argumento de que o ensino básico e médio deve ser privilegiado é muito importante. Ao mesmo tempo, a produção de conhecimento, a capacitação intelectual, científica e tecnológica no mais alto nível, também são pontos essenciais para qualquer país progredir e não ser marginalizado. Segundo a literatura relativa ao desenvolvimento tecnológico, a assimilação da técnica ocorre se houver atividade criadora. A compra do conhecimento leva à permanente reprodução da espiral do atraso. As áreas em que a aquisição é necessária devem ser compensadas por setores nos quais se agrega conhecimento. Se um diagnóstico final para a solução do atraso e da pobreza ainda está distante, parecem essenciais alguns requisitos: educação básica, distribuição de renda, existência de elites não predatórias, um projeto e uma vontade nacional com vocação universal e, interessa destacar, o desenvolvimento da competência intelectual e científica.

A produção do saber

A consciência da importância dessa competência se fortalece na universidade brasileira. Em entrevista, afirma Da Costa:

> Acho que não é possível um país se desenvolver sem ciência. Napoleão já dizia que o nível de um país se mede pela qualidade de sua matemática. É óbvio que um país nunca será do primeiro mundo sem ciência pura e aplicada. Para existir boas universidades e bons cientistas é necessário que as universidades brasileiras, no tocante à formação de profissionais, dêem um bom conhecimento científico geral e transmitam aos estudantes a idéia de que eles terão de passar o resto da vida melhorando seu conhecimento, fazendo-o avançar. Quando eu era jovem, uma pessoa formada em engenharia podia terminar o curso, vender seus livros e exercer a profissão. Hoje, isso não tem sentido. O engenheiro, o médico, o advogado têm de se aperfeiçoar constantemente. E só existe uma maneira de fazer isso: boas universidades, com corpo docente muito qualificado, e bons cientistas e institutos de pesquisa. Se o Brasil não desenvolver a ciência está condenado a desaparecer do mapa. (COSTA, 1999, p. 3)

Embora universidade de qualidade não seja o único problema do Brasil ou de outros países com nível semelhante de desenvolvimento, a pesquisa e o conhecimento são essenciais. Para alcançar-se um objetivo na vida política de um Estado democrático, ele deve surgir como legítimo para a sociedade e ser reconhecido como importante e prioritário. Em países pobres, onde o nível cultural da população nem sempre é elevado, algumas prioridades podem ser pouco visíveis quando comparadas a questões de reconhecida urgência. Em alguns casos, cabe às elites e aos setores politicamente mais preparados convencer sobre prioridades pouco óbvias ao senso comum. Como isso nem sempre acontece, certos objetivos se tornam difíceis. Talvez esta seja a razão pela qual as autoridades acadêmicas, os responsáveis pela política de ensino e pesquisa, os professores e os pesquisadores em geral devam dedicar tanto de suas energias à tarefa corporativa da busca de recursos. De toda maneira, cabe à própria universidade, aos intelectuais e aos cientistas, exercer um papel no esclarecimento. Lahuerta reflete em parte essa realidade, quando afirma que, em relação à universidade pública, "não se nota grande disposição social para protegê-la" (LAHUERTA, 2000, p. 2). É fato que os dados apresentados, a insistência sobre a qualidade e a produtividade da universidade pública e gratuita, parecem adequados para provar sua importância.

Ao mesmo tempo, não convêm atitudes de auto-satisfação que seriam contraproducentes. A interpretação mecânica de importantes experiências do mundo contemporâneo sugere que a onda privatizante poderia se fortalecer também no campo educacional, pois ela ganha apoio em parte das elites e mesmo de segmentos da população. Essa tendência não é geral. Embora a crítica à universidade pública não seja a única nem a principal causa da onda privatizante, sua conseqüência é a exigência de um maior rigor em relação à própria universidade. "Se não quisermos ser vítimas de reformas do ponto de vista quantitativo e mal feitas, temos que nos tornar protagonistas de um projeto democrático e público de transformação da universidade" (LAHUERTA, 2000, p. 2). Portanto, são necessárias formas de avaliação não burocráticas da produção intelectual e docente dos professores, uma tarefa complexa e cheia de riscos, que deverá ser incorporada, adequando a níveis internacionais os bons padrões acadêmicos existentes.

Juntamente com a exigência de maior rigor valorizando o ensino e a pesquisa, em detrimento da burocracia, é preciso levar sempre em conta o rumo das alterações na produção de conhecimento e no ensino. Dissemos que não mudou a razão inicial da universidade: criar locais adequados para a concentração, a reflexão, a reprodução e a produção do saber. Mantidas as razões iniciais, seria um erro grave não perceber as modificações em curso na produção de conhecimento.

Para o objetivo de buscar arejamento no debate sobre a crise da universidade pública brasileira, deve-se considerar o tema da crise no sistema universitário do mundo inteiro. Esta crise está ligada em parte às questões sugeridas por Offe, ou seja, a relação entre identidade coletiva e bem público, e a das estruturas interpretativas. Isto é, vincula-se ao tema mais geral da crise do Estado e das visões hegemônicas de mundo. Mas, também, vincula-se às novas formas de produção de conhecimento. Eis por que a reflexão sobre a universidade pública, ou a reflexão sobre o papel do Estado no ensino e na pesquisa, passa por sérios questionamentos.

No Reino Unido, cujo sistema universitário, por sua tradição e por sua qualidade, serve de modelo, particularmente em algumas de suas instituições, Cambridge e Oxford, por exemplo, foi considerável o impacto das políticas liberais implementadas a partir do governo Tatcher, no final dos anos setenta. O ensino superior continuou financeiramente dependente do Estado, mas em alguns setores adequou-se à lógica da competitividade, buscando recursos privados, em particular para a pesquisa. É crescente a tentativa de venda de serviços e a busca de recursos externos, públicos e privados. No Brasil, universidades públicas buscam formas complementares de financiamento e outras utilizam seu prestígio para captar recursos para a pesquisa em fontes externas. Ainda assim, é importante assinalar que a fonte primeira – e quase única – de apoio à pesquisa científica básica, e que diferencia a universidade de outras instituições de pesquisa, é o Estado e suas agências especializadas, como veremos.

As grandes universidades, em diferentes países, têm mostrado sinais de crise, de falta de adequação aos novos modelos de pesquisa, às inovações que surgem em outros setores da sociedade. A Universidade de Harvard revelou suas dificuldades em acompanhar as modificações em curso, sobretudo os impactos que a microeletrônica e a informática introduziram nas formas de produção de conhecimento, na estrutura empresarial e, conseqüentemente, no ensino. Isso tem como conseqüência a necessidade de encontrar formas administrativas adequadas,

55

inovadoras e ágeis. Chama a atenção, no caso brasileiro, o fato de que os dirigentes de mais alta hierarquia sejam professores cujo prestígio se originaria no saber, enquanto na prática suas preocupações se devem voltar essencialmente para os aspectos administrativos. A tradição universitária européia indica relação entre cargos dirigentes e prestígio intelectual. Nos Estados Unidos é diferente. A gestão não compete a docentes pesquisadores, mas a especialistas em administração universitária.

A especificidade do saber

Ao discutir o papel dos Estados Unidos no mundo, o intelectual e político Reich mostra como, sob qualquer aspecto que se observe, o sistema de ensino deve se voltar cada vez mais à preparação para a análise simbólica. Isto é, a capacitação para o futuro está no raciocínio abstrato. A partir dele haverá capacidade de adquirir e de produzir conhecimentos. É por isso que reiterar o papel clássico da universidade cabe perfeitamente na reflexão sobre a modernidade. Ao mesmo tempo, é decisiva a questão da visão de mundo e da escala de valores que estabelecemos. Isso vale para a vida social e, mais especificamente, para o papel que se julga valer a pena atribuir à universidade. Ao pensar sobre a inserção dos Estados Unidos no mundo e o significado do ensino neste contexto, Reich afirma que "aqui nos defrontamos com um princípio básico para a vida civil; os indivíduos como partes da sociedade sacrificarão o seu bem estar pessoal para um bem maior somente se se sentirem vinculados a uma sociedade na qual o caminho para o 'bem maior' tem um significado real para eles" (REICH, 1991, p. 319). Enquanto as novas formas de produção do conhecimento exigem alto grau de especialização, pela rapidez como evoluem, também requerem, antes de mais nada, redobrada capacidade de raciocínio. Daí a continuidade do papel da universidade e a impossibilidade de sua substituição. Não se trata de fetichismo, mas da constatação do papel que a produção do saber, sua transmissão e sua aquisição, necessariamente têm, mesmo para os mais sofisticados novos conhecimentos. Por maior que seja o nível de especialização no mundo contemporâneo, ele se tornará rapidamente obsoleto. O valor intelectual essencial é a capacidade permanente de aprender. Até a utilização generalizada do computador só teria sentido se fosse entendida como instrumento a mais, como o foram a leitura, a escrita e o livro no passado, para permitir o acesso ao aprendizado contínuo. Fora disso, pode ser mais um instrumento de trabalho, que não melhora a capacidade das pessoas e da sociedade. As relações com a vida e a experiência humanas ganham novo sentido. Podem evoluir da percepção empírica para sua transformação, com base na abstração e na generalização, em conhecimentos de utilidade universal.

As evidências sobre o sentido que vai adquirindo o saber são grandes. Nas áreas em que os conhecimentos científicos mais se desenvolveram nas últimas décadas – microeletrônica e informática, biotecnologia, medicina, novos materiais – a escassez de cérebros é grande. Daí o esforço de todos os países, em particular dos Estados Unidos, incentivando o *brain drain*, altamente negativo para os países exportadores de cérebros. A insuficiente capacidade de formação, particularmente de aptidões para o pensamento abstrato, mesmo em países desenvolvidos, como os da Europa e os Estados Unidos, explica o permanente *brain drain*, como o da Índia para o Vale do Silício. Nessa região da Califórnia, aproximadamente 25% das pessoas que trabalham em pesquisa de ponta são estrangeiros, sobretudo indianos e chineses (60% e 20% dos estrangeiros, respectivamente), com grande aptidão à análise abstrata, originada em particularidades culturais ancestrais. Parte pequena dos benefícios são transladados aos países de origem. Esse exemplo sugere, como discutido, a complexidade do tema do desenvolvimento e a importância para todos os países de redes de formação intelectual e de produção de conhecimentos que apenas um sistema universitário adequado pode proporcionar (MACKINNON, 2000).

No debate sobre a crise da universidade pública, gratuita e de qualidade, no Brasil, estas questões são consideradas em lugares especiais, em nichos reduzidos. A socialização do debate é restrita. O público diretamente envolvido tem acesso a uma informação precária, o que resulta em impacto menor na formação da consciência dos próprios professores universitários e, ao mesmo tempo, não motiva a opinião pública, nem mesmo as elites, permitindo que se fortaleçam políticas cujos resultados de longo prazo diminuem a qualidade do ensino. Há intelectuais com bom conhecimento do significado do ensino e da pesquisa de qualidade. Esses temas são tratados nas sociedades científicas, em núcleos especializados de estudo da política científica e tecnológica existentes em algumas universidades, na SBPC, em setores do Ministério da Ciência e Tecnologia, do CNPq, da FINEP, do BNDES, do Ministério da Educação, da CAPES, da FAPESP, da FAPERJ. O pequeno espaço público do debate contribui, talvez involuntariamente, para a insuficiente legitimidade da universidade na sociedade. Inversamente, contribui para fortalecer os que dentro e fora do aparelho do Estado consideram os gastos necessários à universidade pública excessivos. Uma reflexão aprofundada sobre a política educacional, de ciência e tecnologia, exige estudos competentes e sistematização prévia, o que alimentará a discussão dos grupos maiores e dos grandes auditórios. O debate deve, isto sim e de algum modo, mesmo que a divulgação seja apenas das conclusões, ganhar mais audiência, sob pena de nos equilibrar entre as lâminas de uma tesoura afiada: a que considera o alto custo do ensino e da pesquisa de qualidade um luxo inaceitável em países pobres, e os que defendem o ensino público, gratuito e de qualidade sem avaliar seu significado, sua responsabilidade social e seus custos.

As formas de financiamento da universidade, tema de amplos debates há anos, não podem ser desconhecidas. O gasto do Estado brasileiro com ensino sempre foi significativo e a Constituição de 1988 consolidou a tendência. Os municípios são obrigados a gastar com educação 30% do orçamento. O governo do Estado de São Paulo destina 9,8% dos recursos do ICMS às três universidades estaduais, além do percentual da FAPESP. A distribuição de verbas escassas é questão chave de qualquer teoria econômica. O debate sobre os poucos recursos para a universidade e a pesquisa no Brasil é natural e pode se arrastar indefinidamente. Em 1932, Gramsci escreveu que "toda atividade econômica de um país pode ser julgada apenas em relação ao mercado internacional, 'existe' e deve ser avaliada na medida em que está inserida num mercado internacional...Por outra parte, apenas o critério da utilidade econômica é insuficiente para examinar a passagem de uma forma de organização econômica a uma outra; é preciso ter em conta também o critério político, isto é se a passagem foi objetivamente necessária e correspondente a um interesse geral certo, ainda que a longo prazo" (GRAMSCI, 1979, p. 239, 241). É preciso reafirmar que, se a discussão sobre o custo do ensino e da pesquisa não tiver parâmetros, tampouco tem solução.

É ingênuo e politicamente contraproducente afirmar que os recursos alocados ao ensino no Brasil são escassos: num país subdesenvolvido, todas as classes e grupos, principalmente os mais pobres, tampouco são atendidos pelo Estado em outras áreas vitais de modo adequado: saúde, saneamento, moradia, alimentação. Portanto, a discussão sobre verbas para a universidade pública depende de:

1) um projeto nacional em que se discuta claramente o papel do ensino e da pesquisa como vetor essencial ao desenvolvimento;

2) da necessidade de avaliar a universidade segundo parâmetros internacionais, de forma que se exerça efetivamente o controle democrático pela sociedade.

E para que ocorra a política de transparência e de prestação de contas à sociedade, é imprescindível afirmar os princípios fundamentais. Em primeiro lugar, deve-se dizer claramente que, para ciência e cultura, contrariando argumentos liberais, não podem ser aplicados critérios econômicos utilizados em outras áreas. A relação custo-benefício não é válida no caso, visto que os resultados só podem ser apreciados em prazos que compreendem mais de uma geração. Algo semelhante à discussão da relação custo-benefício como vem sendo feita para o meio ambiente. A concepção de mundo é essencial na avaliação do papel da ciência e da cultura.

Desmistificar lugares comuns

De acordo com dados apresentados pelos reitores da UNESP, da UNICAMP e da USP em 2000, no Fórum São Paulo Século 21, promovido pela Assembléia Legislativa do Estado (FAPESP, 2000), a universidade pública brasileira – e a paulista em especial – tem índices de produtividade elevados. As avaliações feitas pela CAPES/MEC dos cursos de pós-graduação, entre 1998 e 2000, revelam um sistema de bom nível, em alguns casos de padrão internacional. Portanto, não é à qualidade do ensino público que as críticas feitas por alguns altos funcionários do Estado, por uma parte das elites, se dirigem. O equilíbrio entre reconhecimento e crítica determina uma situação de impasse, um empate, que não é de todo negativo. Comparando o Brasil com outros países da América Latina, onde o sistema universitário foi atingido negativamente em profundidade, casos de Argentina e Uruguai, o impasse, de fato, permite a sobrevivência do ensino público de qualidade, ainda que com os limites conhecidos. O empate permite que os recursos orçamentários não sejam diminuídos significativamente. O sistema universitário público provavelmente não será sucateado no horizonte temporal previsível. Nem haverá grande rebaixamento da qualidade, como aconteceu com o ensino público de primeiro e segundo graus nos anos 70. No tocante aos recursos, o ponto central é a dificuldade para a criação das condições políticas que viabilizem o seu aumento. A crise do Estado, como conseqüência da mudança de valores determinada pelas alterações das estruturas interpretativas, impede que o debate público sobre a crise da universidade seja mais relevante.

Para alguns, a solução seria buscar no mercado esses mesmos recursos que escasseiam no Estado. Essa perspectiva deve ser claramente combatida menos por razões doutrinárias e mais pela inviabilidade concreta. Haverá momentos de flexibilidade para utilizar recursos específicos, como os fundos setoriais das áreas de petróleo, energia elétrica, recursos hídricos, transportes, mineração e espacial. A análise das alocações de recursos para a pesquisa básica nos países desenvolvidos, particularmente nos Estados Unidos, revela que a ação do Estado é decisiva, mesmo que não se dê por dotações orçamentárias diretas. Na Europa, a ação do Estado sempre foi central. S. Ferreira (1999) afirma que a ciência básica não é e não pode ser responsabilidade da iniciativa privada, porque não aloca recursos neste setor em nenhum país do mundo, nem mesmo nos Estados Unidos, onde o modelo liberal produziu os melhores resultados. A razão está no que é característico da ciência e da produção intelectual: ciência básica tem sentido de alto risco, daí o papel insubstituível do setor público. A produção intelectual no campo das ciências exatas e biológicas e no das humanidades é própria da liberdade de pensamento, da liberdade de especular, da liberdade da experimentação. Toda sociedade em que, a médio ou a longo prazo, não houve liberdade de pensamento esterilizou-se.

A produção científica, cultural e artística exige a possibilidade de reflexão não ligada imediatamente à produção e a resultados concretos. É o método científico que poderá tornar a reflexão abstrata útil para novos descobrimentos, produtos materiais ou bens culturais. As grandes descobertas estão ligadas à capacidade especulativa do ser humano. É conhecida a lenda segundo a qual Galileu fez suas descobertas, no início do século XVII, sobre o movimento dos corpos, depois de observar a oscilação de um lustre na catedral de Pisa. No entanto, se não fosse professor de matemática na universidade da mesma cidade, dificilmente poderia provar cientificamente a correção de suas idéias. Assim como Newton, no final do mesmo século, teria desenvolvido a teoria da gravidade depois de observar a queda de uma maçã de uma árvore. Se não tivesse estudado em Cambridge, provavelmente não teria adquirido a metodologia necessária para sistematizar as leis da gravidade. Kuhn (1962) utiliza-se de alguns exemplos para demonstrar que casualidade e especulação podem modificar a direção de uma seqüência de descobertas. Um ambiente intelectualmente adequado, um meio apto à produção de conhecimento não pode estar condicionado pelo imediatismo de lógicas produtivistas. A introdução do produtivismo na universidade, como no México nos anos 90, dificilmente trará os resultados esperados. Medir produção intelectual é um exercício de grande complexidade, não sujeito a receitas prévias.

Nos Estados Unidos, referência de políticas de desenvolvimento científico bem sucedidas, algumas, não todas, entre suas mais importantes universidades são particulares. Parte da pesquisa básica é desenvolvida nessas instituições. Os *grants* a fundo perdido, que a filantropia possível pela existência de grandes riquezas e de cultura propícia, contribuem significativamente. A fonte de financiamento principal dessa pesquisa são as instituições públicas: o Congresso (ciências sociais, direito, relações internacionais, armas, direitos humanos, meio ambiente), a NASA (aviação, espaço, física, astronomia, novos materiais) ou a *Drug and Food Administration* (química, fármacos, medicina, transgênicos, biotecnologia), entre outras. A distribuição dos recursos se dá sob diferentes formas, tendo papel relevante as associações científicas nacionais ou estaduais. O critério de competência é central, embora não único. É verdade que nos Estados Unidos as empresas investem fortemente em pesquisa e desenvolvimento, mas a iniciativa privada fornece apenas 7% dos recursos captados pelas universidades. A debilidade da parte privada resulta de sua busca de retorno a curto e médio prazos. As universidades de excelência, públicas ou privadas, como o Massachussetts Institute of Technology (MIT) têm em fontes públicas a quase totalidade dos recursos de pesquisa. Na década de noventa, 85% das captações do MIT provinham de diferentes órgãos estatais dos Estados Unidos.

Inconclusões

O início deste trabalho salientou que é preciso fugir às atitudes defensivas e enfrentar os temas de fundo, discutindo o papel e a razão da universidade no mundo contemporâneo, e se de fato é necessária, ao menos no formato em que existe e se definiu durante o milênio. A relação com o Estado tampouco pode ser apenas instrumental, quase sempre relacionada a questões orçamentárias e seus derivados. Em vista da situação precária, as autoridades universitárias e a comunidade acadêmica em geral reproduzem esse jogo das partes (MIRRA, 2000). Além do problema dos recursos, certamente decisivo, há a questão do projeto de universidade. A esse respeito, há um espaço não adequadamente coberto. O projeto nacional indicado acima deveria ser incorporado. Não é apenas buscar a lógica normativa nem projetos políticos *strictu sensu*, mas contribuir para uma visão de mundo, cujo debate no Brasil parece se enfraquecer nos últimos anos. Este papel deveria caber aos intelectuais, sem arrogância nem se colocando acima da sociedade e das classes, simplesmente utilizando seu método e saber. A crise da universidade se relaciona com a fragilização dessa perspectiva. Ao discutir vantagens e riscos que os fundos setoriais trarão ao país, Salmeron alerta para o fato de que na política de apoio à pesquisa

> [...] transparece claramente o erro de pensar que é possível ter boa pesquisa tecnológica sem boa e extensiva pesquisa básica. Este erro, no Brasil, é uma espécie de doença nacional. Nos países tecnologicamente desenvolvidos, como os Estados Unidos, as indústrias mais importantes solicitam aos governos que dêem apoio maciço à pesquisa fundamental nas universidades, para que elas possam receber cientistas, engenheiros e técnicos bem formados, capazes de manter a vanguarda. (SALMERON, 2000)

A falta de visão de futuro é o que agrava a crise da universidade. Sardenberg defende os fundos setoriais e reconhece a veracidade dessa afirmação: "O problema é que, até hoje, o desenvolvimento nacional baseou-se na importação de tecnologia e muito pouco na criação de tecnologia própria. É isso que queremos reverter, estimulando as empresas a investir em inovação" (SARDENBERG, 2000). No debate sobre a crise da universidade pública, não surgiram vozes defendendo a autarquia, mas apenas que se reconheça o papel da produção de conhecimento, também necessária à assimilação da ciência previamente existente. Há, porém, diferenças no reconhecimento da centralidade da ação pública.

É nessa perspectiva que devem ser discutidos temas específicos, como salários e recursos dedicados ao ensino e à pesquisa no Brasil. O meio acadêmico deve dar transparência às próprias qualidades e às próprias deficiências, abrindo-se ao debate das demandas da sociedade, criticando-as quando necessário. O reconhecimento da existência de desníveis na dedicação intelectual e no esforço material deve ser tema de debate interno. Isso significa avaliação, considerando parâmetros diferenciados. Ao criticar avaliações produtivistas, há alguns anos, Furtado lembrava o caso de Sraffa, amigo de Gramsci, formador da escola econômica de Cambridge, onde se abrigara fugindo ao fascismo, que ao longo de sua vida nada teria escrito além de um *paper* de nove páginas.

O reconhecimento das exigências da sociedade em relação à universidade pública significa incorporar temas de relevância nacional, abrir-se ao debate de temas complexos, sobre os quais não há consenso, o do número de vagas, por exemplo. O ensino superior *tradable* corresponde à lógica de mercado. Ao não haver elaboração de alternativas adequadas, a crítica torna-se difícil. O mesmo se poderia dizer quanto ao ensino à distância: o debate sobre o tema é pequeno, permitindo que a iniciativa se restrinja a lógicas de mercado ou à sua introdução por parte de poucas instituições públicas, como a Universidade de Brasília e a Universidade Federal de Santa Catarina.

A universidade precisa revelar à sociedade os benefícios que provoca. Isto é, benefícios não imediatos, mas históricos e de longo prazo. Para isso, não é preciso *marketing*, nem ações de caráter populista, nem nada que não lhe seja próprio. A universidade, característica já milenar, apoia-se no ensino e na pesquisa. Ações pontuais são válidas, mas não constituem sua essência, mesmo quando úteis. Em última instância, o que vale são os conhecimentos produzidos, a cultura, a ciência e a capacidade de formação das gerações jovens, profissionais e pesquisadores, novos intelectuais. "A formação de competências, a geração de profissionais e de pesquisadores, através de suas atividades de ensino e pesquisa, atividades que são e devem ser o coração da universidade" (MORAES, 1999, p. 1). A relação entre ensino de qualidade e criatividade intelectual faz parte do acervo da humanidade.

Além dos princípios, ficam os problemas concretos. A universidade pública de qualidade vive a perplexidade resultante da falta de segurança quanto à continuidade dos projetos. Isso introduz fatos novos, até recentemente pouco sentidos no Brasil, o risco de um crescente *brain drain*, dificuldades para a consolidação de equipes bem qualificadas. As incertezas sobre o futuro pesam sobretudo para os mais jovens. Os obstáculos para novas contratações, nas federais e nas estaduais, retratam concretamente o quadro.

Não convém pensar de forma defensiva ou corporativa. Os problemas do nosso cotidiano, que alimentam o debate sobre a crise da universidade, atingem a todos, são do interesse de todos os brasileiros. A competência e a qualidade da universidade pública estão demonstradas. Relacionar esse debate às questões mais gerais do Brasil e da humanidade, sem fugir aos problemas, é uma obrigação politicamente construtiva. Interrogações, mesmo quando desagradáveis ou de difícil resposta, não podem ser escamoteadas. A legitimidade tem que ser construída sem qualquer forma de auto-satisfação nem complacência conosco mesmos. Caso a superação da crise seja possível, exigirá muito tempo. Vincula-se a uma visão de mundo que sugere o fortalecimento de valores éticos ligados à valorização do ser humano e ao reconhecimento de seu papel de protagonista. Fora disso, a decadência da Universidade será inevitável, uma conseqüência apenas.

Referências

BOSI, A. A universidade pública brasileira: perfil e acesso. *Cadernos Adenauer,* São Paulo, n. 6, p. 9-25, ago. 2000a.

_____. Entrevista. *Teoria e Debate,* São Paulo, ano 13, n. 45, jul. / set. 2000b.

BUENO, M. S. S. *Políticas atuais para o ensino médio.* Campinas: Papirus/ FAPESP, 2000.

CARVALHO DA SILVA, A. *Universidades públicas:* méritos, problemas, soluções: debates sobre universidades públicas. São Paulo: ECA/USP, 2000a.

_____. A regionalização do ensino e da pesquisa no Brasil. *Cadernos Adenauer,* São Paulo, n. 6, p. 45-58, ago. 2000b.

CASTRO, M. H. G. *Resultados e tendências da educação superior no Brasil.* Brasília: MEC/INEP, 2000. Disponível em <http://www.inep.gov.br/ noticias/news.>. Acesso em jun. 2000.

COSTA, N. da. Newton da Costa, filósofo da ciência: entrevista. *Gazeta Mercantil,* São Paulo, jan. 1999. Caderno, p. 8-10.

FERREIRA, O. S. A nação sem projeto. In: _____. *A teoria da "coisa nossa"*. São Paulo: Edições GRD, 1986.

FERREIRA, S. H. Como se inventa um medicamento. In: CONFERÊNCIA ... Porto Alegre: Sociedade Brasileira para o Progresso da Ciência, 1999.

FUNDAÇÃO DE AMPARO A PESQUISA DO ESTADO DE SÃO PAULO. Pensando São Paulo: universidades e institutos. *Pesquisa FAPESP*, São Paulo, n. 56, ago. 2000.

GRAMSCI, A. *Note sul Machiavelli sulla politica e sullo Stato moderno.* Roma: Editori Riuniti, 1979.

KUHN, T. *The structure of scientific revolutions.* Chicago: University Press, 1962.

LACEY, H. ; OLIVEIRA, M. B. Prefácio. In: SHIVA, V. *Biopirataria*: a pilhagem da natureza e do conhecimento. Petrópolis: Vozes, 2000.

LAHUERTA, M. Para resgatar o caráter público da universidade. *Jornal da UNESP,* São Paulo, n. 151, out. 2000.

LEWIS, W. A. T*he evolution of the international economic order.* Princenton: Princenton University Press, 1978.

MACKINNON, I. Pessoal *high-tech* vive dias de glória na Índia. *O Estado de São Paulo,* São Paulo, 15 out. 2000.

MIRRA, E. Mirra e a ciência no país: ou vamos entrar no jogo, ou cair fora dele: entrevista. *Jornal da Ciência (SBPC),* Rio de Janeiro, ano 15, n. 450, 15 dez. 2000.

MORAES, R. C. C. de. A universidade e seu espaço. In: ENCONTRO NACIONAL DE ESTUDANTES DE COMUNICAÇÕES (ENECOM), 1999, Maceió. [S.l.:s.n.], 1999.

NEVES RAMOS, M. Ensino superior no Brasil: expansão e avaliação do sistema universitário. *Cadernos Adenauer,* São Paulo, n. 6, p. 27-44, ago. 2000.

OFFE, C. *Capitalismo desorganizado.* São Paulo: Brasiliense, 1989.

REICH, R. B.. *The work of nations.* New York: Vintage Books Edition, 1991.

SALMERON, R. A. Planificação e continuidade na pesquisa científica. *Jornal da Ciência (SBPC),* Rio de Janeiro, ano 15, n. 439, 1 jul. 2000.

SARDENBERG, R. .País terá R$ 2 bilhões para investir em pesquisa: entrevista. *O Estado de São Paulo, São Paulo,* 11 set. 2000.

SHIVA, Vandana. *The violence of the Green Revolution: third world agriculture, ecology and politics.* Londres: Zed Books, 1991.

TROTSKI, L. *Literatura e revolução.* Rio de Janeiro: Zahar editores, 1980.

UNIVERSIDADE DE SÃO PAULO. Instituto de Estudos Avançados. *A presença da universidade pública.* São Paulo: Reitoria USP, 2000.

VIEIRA PINTO, A. *Consciência e realidade nacional.* Rio de Janeiro: MEC/ISEB, 1960.

WORLD BANK. *World develompment report 2000/2001.* Washington: World Bank, 2000.

A UNIVERSIDADE E SEU ESPAÇO[1]

Reginaldo Carmello Corrêa de MORAES[2]

Comecemos correndo o risco de afirmar o óbvio e banal, destacando um aspecto distintivo da Universidade: ela tende a ter e deve ter a chamada *universalidade de campo* – e isso significa, para seus estudantes, a possibilidade de acesso aos diversos campos da cultura e da ciência.

Mas isso quer dizer também que toda e qualquer universidade deve manter, de modo regular e contínuo, todos os cursos possíveis e imagináveis? Para usar um trocadilho, isto seria inimaginável. O que pretendemos afirmar é que, *necessariamente,* toda e qualquer universidade deve definir com clareza seu modo próprio de contemplar essa universalidade de campo – a possibilidade de acesso aos diversos campos da cultura e da ciência. Para isso não contribuem apenas grades curriculares ricas e diversificadas. É também importante, na formação global dos estudantes universitários, o papel dos convênios, das parcerias, dos intercâmbios, das publicações, dos eventos culturais, dos cursos especiais, das atividades extracurriculares enfim.

E essa universalidade de campo não se desenvolverá plenamente sem o envolvimento da universidade em atividades de pós-graduação – com a prática da pesquisa e o ensino da pesquisa – com fortes setores de especialização, aperfeiçoamento, mestrado, doutoramento.

---

[1] Este artigo é uma versão revisada de palestra feita no Encontro Nacional de Estudantes de Comunicações (Enecom, Maceió, 8 ago. 1999). Reutilizei vários argumentos e temas que já havia tratado em texto anterior, publicado na revista *Educação&Sociedade* n. 63, ago. 1998. Neste último, o leitor poderá encontrar referências bibliográficas, aqui sequer mencionadas. Por outro lado, esta exposição traz vários elementos que aquele artigo não continha, sobretudo a discussão das relações entre conhecimento de curto alcance e de longo alcance.

[2] IFCH-Unicamp.

Por sua vez, a universalidade de campo e o desenvolvimento de atividades de pesquisa costumam viabilizar e mesmo solicitar a criação de um amplo espectro denominado *extensão de serviços à comunidade*. E aqui tomemos um cuidado: deve-se sempre notar que o próprio ensino e a pesquisa também são serviços decisivos – aliás, sublinhe-se, são os serviços centrais da vida da universidade. Algumas vezes, por ingenuidade ou má fé, vozes menos avisadas tendem a confundir a *extensão* como o meio pelo qual a universidade *daria retribuição à sociedade* pelos recursos que recebe. O primeiro e principal serviço – com o qual a universidade *devolve* à sociedade o que esta nela investe – é a formação de competências, a geração de profissionais e de pesquisadores, através de suas atividades de ensino e pesquisa, atividades que são e devem ser o coração da universidade. Outro equívoco freqüente é identificar extensão e convênios com empresas. Em primeiro lugar, é algo apressado identificar *comunidade* ou *sociedade* com mercado e suas demandas (com a conveniente contrapartida financeira...). Nem sempre aquilo que é necessário identifica-se com a *demanda solvável*. É possível que vacinas, educação sanitária, medicina preventiva, por exemplo, sejam menos *vendáveis e pagáveis* do que aspirinas ou xaropes – se é que o são. Contudo, ninguém deixaria de incluí-las no rol de bens indispensáveis e de serviços para os quais a universidade pode e deve contribuir de modo relevante. A extensão não pode ser reduzida a artifício para complementar orçamentos, produzir saldos em caixa. Extensão deve ser entendida, precisamente, como extensão de pesquisa e ensino. Não o contrário: devemos vigiar para que pesquisa e ensino não se transformem em uma extensão de serviços e convênios, sendo por eles determinados, no conteúdo, na forma e.... nos recursos e remunerações.

Uma nova agenda para a educação?

Mas o tema central que pretendo tratar, aqui, é o do ensino. Começo por um refrão insistente da mídia, dos especialistas e dos palpiteiros em geral: a educação é fortemente exigida pelas imposições da competição, das mutações profissionais e das novas tecnologias. Com freqüência, essa constatação descarrega sobre o ensino responsabilidades e papéis fundamentais: dele dependem a *empregabilidade* dos agentes sociais, bem como seu potencial de reciclagem e adaptação a essas mudanças. A educação teria, desse modo, papel central na chamada *agenda da modernização*. O que é essa agenda? Nela costumam ser inscritos – e às vezes com exagero e pressa – o deslocamento da mão-de-obra, de atividades manuais, repetitivas e absolutamente previsíveis durante décadas, para atividades que envolvem manejo de informações, códigos e conhecimentos abstratos, atividades *integradas* (diferentes daquelas associadas com a supostamente superada fragmentação taylorista do trabalho).

Em suma, a crer nessa avaliação, o mundo pareceria marchar para uma crescente intelectualização e um progressivo enriquecimento das atividades produtivas. Essas tendências socio-econômicas de amplo espectro dariam singular importância a determinadas características cognitivas e sociais. Elas exigiriam – daqueles que saem das escolas e daqueles que a ela voltam para reciclar-se – criatividade, inteligência abstrata, flexibilidade.

Salta aos olhos a lista de *atitudes* que deveria gerar a nova educação, lista que, aqui ou ali modificada, reaparece, com insistência, nos mais diversos analistas que se voltam para a relação ensino-trabalho. Tais atitudes e habilidades incluem:

➤ capacidade para compreender processos produtivos complexos e deles ter visão de conjunto;

➤ conhecimento e utilização de procedimentos lógico-matemáticos;

➤ flexibilidade para ajustar-se entre situações novas e diversificadas, por um lado, e normas e regras mais estáveis, por outro;

➤ capacidade de armazenar, atualizar e processar informações, e também de gerenciá-las, o que inclui a capacidade de julgar inclusive quais são as relevantes;

➤ capacidade para inferir tendências, limites e significados dos dados presentes;

➤ capacidade para desempenhar diferentes papéis na vida produtiva e social, adaptando-se rapidamente diante de novas gerações de ferramentas e máquinas, assim como diante de novas situações sociais.

Prossigamos por esse caminho – uma vez que ele contém elementos verdadeiros e que efetivamente devem ser levados em conta. Suponhamos que efetivamente ocorra esse movimento paradoxal: por um lado, as mutações nas profissões e nas habilidades requeridas são muito rápidas e muito amplas; por outro lado, ainda assim seria possível, ao pensar atento e informado, distinguir sua direção *intelectualizante* em geral. Nesse caso, ao que tudo indica, uma educação universitária de qualidade **não** poderia ser direta e exclusivamente ligada a uma suposta atividade profissional futura do estudante. A começar pelo motivo de que tal atividade é, de fato, **suposta** – e com os indicadores de que podemos dispor apenas **vislumbramos** alguns traços muito gerais desse rumo. Ora, este problema, aparentemente tão elementar, coloca uma das grandes questões das ciências da sociedade: como dominar a incerteza e a complexidade intrínsecas à realidade social? Prevendo detalhes da mudança e *treinando* as pessoas para tais alterações? Ou preparando estruturas cognitivas suficientemente abrangentes e flexíveis para não apenas adaptar-se a circunstâncias imprevistas, mas também para alterar ou produzir tais circunstâncias, modelar o ambiente, inovar, enfim?

Educação, formação e treinamento: diferenças e conexões

Veja-se a base do argumento anterior: é provável ou quase certo que o estudante não saiba (e ninguém pode saber por ele...) em que empresas e ofícios vai trabalhar, com quais materiais, ferramentas e processos. Nesse caso, resulta evidente que devemos evitar certas armadilhas, como a tentativa de imaginar cursos cujos programas e métodos tenham a perspectiva de profissionalização estrita, hiper-especializada, mas precoce, apressada, profissionalização que se revelaria frustrada e frustrante...[3] Devemos olhar com mais prudência e mesmo desconfiança os cursos supostamente atentos e voltados para o mercado de trabalho, como prometem algumas mensagens publicitárias de universidades privadas... e como sugerem alguns reformadores das escolas públicas...

Ora, pelo contrário, tem-se apontado como exigência dos novos tempos que se volte a atenção dos educadores para a *aquisição de competências de longo prazo*, o domínio de métodos analíticos, de múltiplos códigos e linguagens, enfim, para uma qualificação intelectual de natureza suficientemente ampla e abstrata para constituir, por sua vez, base sólida para a aquisição contínua e eficiente de conhecimentos específicos. Desse modo, a *nova* força de trabalho, qualificada para este *novo* mundo produtivo, teria sobre si exigências de formação também sempre novas e mais elevadas. Ao mesmo tempo, e em contrapartida, tornam-se rapidamente anacrônicos os conhecimentos específicos gerados pelo puro treino. Parece mais tentadora e mais realista, nesse caso, a aposta na chamada formação geral, com o dom da polivalência e, ao mesmo tempo e por decorrência, da habilidade cognitiva necessária para remodelar e reintegrar tarefas antes parcelarizadas e taylorizadas

A formação geral seria portanto uma base indispensável a partir da qual os novos agentes teriam condições para (quando necessário e conveniente) apropriar-se de conhecimentos específicos impostos pelas mudanças de circunstância e lugar, e para utilizar esses conhecimentos no modo e no tempo necessários (ou descartá-los e substitui-los rapidamente, mudadas as circunstâncias...).

---

[3] Em debate recente, pesquisadores da Escola de Comunicações da USP lembraram-me sondagem realizada entre egressos de seus cursos – jornalismo, publicidade, mídia em geral. Curiosamente, a quase totalidade dos entrevistados revelou que nos primeiros dois anos de profissão pareciam ter sido mais úteis as disciplinas mais *técnicas* e dirigidas ao treino profissional estrito senso. Contudo, a partir desse patamar imediato, de inserção primária no emprego, foram as disciplinas teóricas que os capacitaram a permanecer (e progredir) nesse mercado de trabalho altamente mutante.

A relação entre formação geral e conhecimentos específicos pode ser examinada também a partir do quadro abaixo, comparando dois tipos de conhecimento, que eu chamaria de Conhecimento de Longo Alcance (CLA) e o Conhecimento de Curto Alcance (CCA). Esse quadro foi construído a partir da sugestão de um consultor do Bird, Peter Knight,[4] e acho que pode sugerir boas pistas para pensar o lugar da universidade e do ensino público, em geral, no conjunto das atividades de formação existentes numa sociedade como a nossa.

TABELA 1 - Conhecimento de longo alcance (CLA) e Conhecimento de curto alcance (CCA)

Tipo de conhecimento	CLA	CCA
Tipo de conhecimento	ocupações/ofícios acadêmicos, básicos, teóricos, complexos (inclui muitas áreas técnicas tradicionais, como mecânica, eletricidade)	Vocacional, prático, imediato. Exemplos: aprender a manejar processo industrial específico; usar novo software; aplicar nova técnica cirúrgica, odontológica, etc.
Custo	Caro, altos investimentos: altos custos fixos (mas tende a baixo custo por unidade)	Menos caro
	Base conceitual e teórica (condição necessária para a aquisição de vários tipos de CCA)	Supõe CLA
Tempo para aquisição	Longo: anos, meses	curto - dias, semanas, meses
Rápido retorno econômico	Não	Sim
Externalidades sociais	Alto: geram benefícios para a sociedade e não apenas para o indivíduo que o recebe	Baixo
Financiamento e provisão	Famílias, estado	Trabalhadores, empresas
Exemplos	Socialização básica, aculturação, cidadania, linguagem, matemática, lógica, raciocínio, partes teóricas de treinamento profissional	
Duração	Longa; Taxa de depreciação menor	Curta. Rápida obsolescência

O que pretendo afirmar é que a Universidade tem sua especificidade decididamente centrada na primeira coluna. Do ponto

---

[4] Knight (1998). O quadro toma como ponto de partida, e amplia, aquele desenhado por Knight. Por outro lado, abandonamos (e rejeitamos) as conclusões e comentários que o autor se permite produzir.

de vista do ensino, assim como da pesquisa, ela concentra seus esforços e recursos no conhecimento de longo alcance. Significa que abandone de modo completo e cabal a segunda faixa? Não, mas significa que esse não é seu traço distintivo, nem sua vocação primordial. É também por isso que ela deve buscar identificar-se como uma corporação de comportamento *inovativo* e não simplesmente *adaptativo*, uma corporação que toma o ambiente em que age como algo que reconhece mas recria e *transforma*, incluindo os *mercados* que tanto veneram os arautos de uma falsa modernidade.

Um espaço para aquilo que é aparentemente irrelevante e pouco prático

Volto agora a uma passagem anterior de minha exposição. Comentei, um pouco antes, a afirmação de que é provável ou quase certo que o estudante não saiba em que empresas e ofícios vai trabalhar, com quais materiais, ferramentas e processos. E ninguém pode saber por ele... Acentuei ainda que, nesse caso, seria temerário estruturar cursos cujos programas e métodos tenham a perspectiva de profissionalização estrita, hiper-especializada, mas precoce, apressada, profissionalização que se revelaria frustrada e frustrante. As alterações de tecnologias e processos e o extraordinário reordenamento social das profissões perturbariam qualquer previsão sobre o exato espectro profissional do futuro. Se o conteúdo das qualificações se modifica com tal intensidade, profundidade e rapidez, não tem sentido apelar a uma qualificação específica, tão específica que logo se tornaria um equívoco...

E é a esse respeito – isto é, sobre a necessidade do ensino dar mais ênfase à formação básica, não estritamente especializada e imediatamente aplicada – que lembro uma passagem muito interessante de Paul Wolff (1997). Seguindo seu raciocínio, vale considerar primeiramente que um profissional, um pesquisador ou estudioso não precisa ter um doutorado "em cada uma das disciplinas das quais faz uso, nem mesmo em uma só delas". Por outro lado, quando planejamos um ensino de graduação, tudo indica que, por exemplo, um curso em teoria econômica ·e suas lógicas, os diferentes modelos analíticos utilizados para compreender esses fenômenos, digamos, seria mais importante, para preparar o estudante para uma vida socialmente relevante, do que um curso específico, ainda que rico e profundo, sobre, por exemplo, a geração de pobreza e riqueza em tais e tais circunstâncias bem determinadas. E um domínio da lógica – outro exemplo – será mais compensador do que um seminário estrito, digamos, sobre a filosofia da guerra, ou a compreensão de um pacote ou linguagem determinados, ainda que muitos destes tópicos pareçam muito úteis de imediato e muito atuais. Nesses dois exemplos, uma dessas "bases" – teoria econômica, lógica – pode propiciar ou criar condições para o desenvolvimento do conhecimento específico. Em contrapartida, o conhecimento específico e o treino especializado dificilmente podem gerar o conhecimento analítico e versátil que possa dar conta de situações diferentes e novas.

A sociedade e seus problemas estão em um fluxo perpétuo, lembra Wolff. Um estudante que só lê livros e faz cursos direcionados estritamente à solução dos problemas *presentes e locais* dificilmente aprenderá algo que possa ajudá-lo a identificar e resolver os problemas futuros, problemas *não-presentes e não-locais*, e talvez problemas sequer imaginados nos exercícios de aplicação do nosso livro-texto tão bem comportado. Se esse estudante tiver aprendido apenas a aplicação de técnicas especializadas, nunca aprenderá como desenvolver novos modos de análise e de solução de problemas. Seu pensamento ficará preso ao nível superficial, o nível da resposta imediata frente a eventos corriqueiros. Contrastando com isso, diz Wolff, o trabalho intelectual original, importante e criador, sempre caminha a uma considerável distância dos problemas imediatos. Por essa razão, esse pensamento freqüentemente parece "irrelevante" ou "abstrato".

O que estou tentando fazer é sublinhar a necessidade dessa *certa distância* e independência – dos pesquisadores, dos teóricos e dos *ensinadores* e estudiosos – com relação a questões imediatas, locais – ou pelo menos independência com relação a seu exclusivo caráter imediato, local e *prático*. A universidade tem que reivindicar, obter e garantir um espaço relevante para o estudo e o ensino daquilo que é geral, do não-imediato e do não-local – daquilo que até parecerá abstrato e irrelevante para quem está preso aos problemas corriqueiros. É indispensável garantir – no ensino e na pesquisa – um espaço para aquilo que não tem aplicação imediata e direta, mas possibilita e prepara para a aprendizagem da adaptação permanente.

Esse espaço é decisivo até mesmo para oxigenar o ensino, torná-lo mais criativo e instigador, para que saibamos educar (e não simplesmente treinar) gente que saiba criar, responder a desafios, não apenas aplicar, reproduzir fórmulas quando as situações se repetem iguaizinhas. Criar quando as situações são diferentes, não quando são similares. Utilizar o conhecimento abstrato e geral para enfrentar situações concretas novas – que não estavam exatamente no livro de exercícios padronizados, o livro-texto daquele cursinho aparentemente tão prático e útil, em que fomos tão bem treinados ... para coisas que desapareceram logo a seguir... se é que um dia existiram daquele modo...

A superação do "curto-prazismo"

Por meio deste comentário de Wolff, deixo apenas sugerida a importância dessa dimensão da universidade – a prática da pesquisa e do ensino da pesquisa. É uma das razões pelas quais acredito que professores que tenham tido, pelo menos algumas vezes na vida, o contato com a atividade de pesquisa pura ou aplicada, que tenham passado pelos seus desafios, dificuldades e prazeres, têm também como tornar seu ensino provocativo, desafiador, inovador. Esses professores provavelmente estarão mais preparados para ensinar de verdade, mais do que aplicar uma *disciplina* (até no sentido muitas vezes militar que este termo sugere...), com exercícios repetitivos, padronizados, que treinam uso de certos instrumentos. Ensinar, isto sim, como usar criativamente esses instrumentos – ou como jogá-los fora, inventando outros quando necessário. Numa palavra, ensinar aquilo que hoje é indispensável saber, num clichê que tem sido tão difundido quanto mal compreendido e aplicado: aprender como aprender, saber avaliar quais as informações relevantes no mundo atual, como e onde recolhê-las e como combiná-las para resolver problemas. Assim é o ensino oxigenado pela pesquisa.

O que é um professor que não está constantemente investigando e informando-se a respeito de problemas e novidades de sua disciplina (inclusive dos métodos alternativos que têm sido utilizados para o ensino dessa disciplina)? É muito possível (é mesmo provável) que esse professor também não ensine bem. Em todo o caso, deslocando o foco do nível estritamente individual, é certo que uma universidade que não pesquisa também não ensina bem. E parece mais do que evidente: universidade que não pesquisa não produz extensão de boa qualidade. Pode produzir, é claro, *picaretagem* bem paga, o que é outra coisa, e de curta duração.

Para terminar, temos aí um problema: esse espaço indispensável – da pesquisa e do ensino daquilo que é aparentemente *distante da realidade* – não responde com presteza aos mecanismos de avaliação de desempenho mais usuais e mais intuitivos, como o "mercado" ou as *demandas*. Essas atividades, áreas, especialidades e disciplinas não geram com a mesma facilidade convênios, vendas de serviços, pesquisas *encomendadas*, cursos de extensão mais *aplicados* etc. Sua avaliação – e a decisão de nelas investir – depende de uma visão de longo prazo que a corporação universitária deve garantir para si mesma. Isto implica *proteger* uma parte dos recursos da universidade (recursos materiais e recursos humanos) das avaliações de curto prazo fornecidas pelos mercados e demandas. Conseguirá a universidade que temos conciliar tão diferentes perfis, entre suas diferentes unidades, com diferentes perfis de professores, estudantes, diferentes *ethos* e diferentes visões de mundo, garantindo para cada um deles seu espaço de desenvolvimento? Disso depende, ao que parece, não apenas seu êxito, mas até mesmo sua sobrevivência.

Referências

KNIGHT, P. The half-life of knowledge and structural reform of the educational sector. In: CASTRO, C. M. (Ed.) *Education in the information age*, Inter-American Development Bank, Wanshington, 1998.

WOLFF, P. *O ideal de universidade*. São Paulo: Editora Unesp, 1997.

A OFERTA DE VAGAS NA UNIVERSIDADE BRASILEIRA

Alberto Carvalho da SILVA[1]

O aumento da procura por vagas na universidade brasileira e as medidas para atendê-lo constituem um problema que toca aspectos diversos, inclusive o próprio conceito de universidade estabelecido na Constituição de 1988 em seu artigo 207. A obediência fiel ao princípio de indissociabilidade ensino-pesquisa-extensão explícita nesse artigo reduziria consideravelmente o número atual de universidades concentrando ainda mais a procura nas que sobrevivessem.

Entre os aspectos a serem considerados nas medidas para atender ao aumento crescente de inscrições nos exames de acesso ao ensino superior merecem destaque: a diferença na capacidade de absorção entre instituições de ensino privadas e públicas; as diferenças regionais e na preferência por área de conhecimento; a perda de qualidade no ensino básico público; o alegado confronto entre gratuidade do ensino superior público; e a escassez de recursos federais, estaduais e municipais.

Planos de aumento de vagas procurando atender à procura crescente, sem levar em conta as variáveis envolvidas, pouco ou nada contribuem para proteger as instituições de ensino superior dos efeitos negativos de uma superpopulação e para preservar a qualidade e a produtividade de um bom número de universidades que respondem por grande parte da pós-graduação e da pesquisa no país.

A falta de soluções que permitam, ao mesmo tempo, preservar a qualidade e atender à procura opõe-se à proposta de liberar a matrícula para todos os candidatos que se qualifiquem.

---

[1] Professor Honorário do Instituto de Estudos Avançados da USP.

Essa seria a solução socialmente justa mas que, nas condições atuais, iria colocar em risco a capacidade de pesquisa e formação de recursos humanos qualificados, essencial ao desenvolvimento do país. No confronto entre universidade como "instituição social" concentrada na busca do conhecimento e na análise, na crítica e na difusão das idéias, e universidade como "organização social" (CHAUÍ, 1999) voltada para a produção de resultados, a universidade pública deve responder aos dois desafios: buscar o conhecimento por seu valor intrínseco e sem vínculos com sua aplicação; e procurar contribuir para o progresso social, econômico e cultural do país através da pesquisa científica aplicada e da formação de recursos humanos qualificados.

A figura 1 dá uma visão geral de como evoluíram, entre 1990 e 1999, nas instituições públicas e nas instituições privadas: *a)* número de inscritos; *b)* número de vagas; *c)* número de matrículas; e *d)* número de matrículas em universidades e em outras instituições de ensino superior.

FIGURA 1 – Inscrições em vestibular; vagas e matrículas em ensino superior 1990-1999 (valores em ordenadas X 1.000)

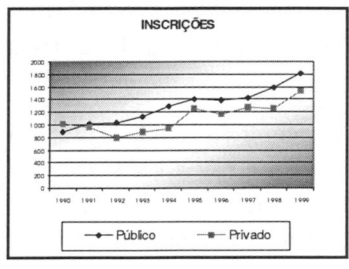

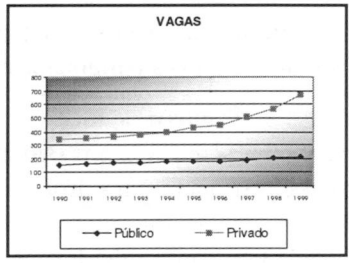

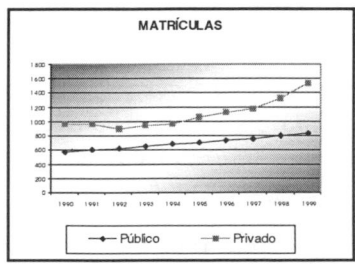

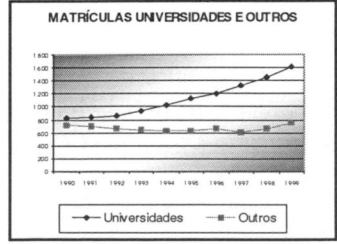

De 1980 a 1999 (BRASIL, 2000a, 2000b) o número de vagas evoluiu de 408.814 para 894.390 com grande predomínio do ensino privado que passou de 68,6% a 75,5% das vagas. A procura, medida pelo número de inscritos, aumentou de 1.803.567 para 3.344.273. A relação candidato/vaga foi respectivamente 4,41 e 3,74 com considerável diferença entre ensino público, em que essa relação passou de 6,71 para 8,26, e o ensino privado que diminuiu de 2,94 para 2,28.

O mesmo comportamento se observa quando a análise se concentra nas universidades: em 1980, as 45 universidades existentes ofereciam 110.578 vagas a 750.000 candidatos (relação 6,78) e as 20 universidades privadas tinham 396.518 candidatos para 131.859 vagas (relação 3,01). Já em 1998, o número de candidatos nas 77 universidades públicas foi 1.440.137 para 172.295 vagas (relação 8,36) e nas universidades privadas 750.190 candidatos para 329.763 vagas (relação 2,27).

Tanto a oferta de vagas como o número de candidatos inscritos variam bastante com a dependência administrativa, com a região e com a área de conhecimento. Em 1998, entre as universidades públicas predominaram as 39 federais com 50,4% das vagas e as 31 estaduais com 35,6%, cabendo às 7 municipais 14,1%; as relações candidato/vaga foram respectivamente 9,36, 9,28 e 2,42.

Por região, em 1999 a oferta de vagas em ensino superior foi de 1,92 por 1.000 habitantes no Norte, 1,99 no Nordeste, 6,89 no Sudeste, 5,79 no Sul e 5,10 no Centro-Oeste.[2]

Por área de conhecimento, em 1998 predominaram ciências sociais aplicadas com 42,5% das vagas e humanas com 15,4% seguidas por exatas e da terra, 11,9%; saúde, 11,3%; lingüística e artes, 7,0%; agrárias, 2,4%; e biológicas, 2,0%. A distribuição dos inscritos em vestibular foi bastante próxima, menos para saúde com 23,1% e lingüística, letras e artes com 4,1%.

As diferenças entre áreas de conhecimento na relação candidato/vaga são evidentes na Universidade de São Paulo (1999)

---

[2] Sem DF a relação baixa para cerca de 4,0.

(quadro I) em que, no vestibular de 1998 para 121 cursos, os extremos foram 80,5 candidatos por vaga no curso de publicidade e propaganda matutino e 0,8 no curso de grego noturno; a média para 15 cursos da ECA foi 30,7 e para 39 cursos da FFLCH, 4,0.

QUADRO I - Número de candidatos por vaga em 121 cursos oferecidos pela USP no exame vestibular de 1998.

N° candidatos por vaga	N° de cursos em que ocorreu
Mais de 50	4 cursos[*]
40 a 49,9	2 cursos[**]
30 a 39,9	9 cursos
20 a 29,9	16 cursos
10 a 19,9	25 cursos
5 a 9,9	28 cursos
Menos de 5	37 cursos
TOTAL	121 cursos

(*) publicidade e propaganda (mat.), 80,5%; fisioterapia, FMSP, 51,8%; editoração, (mat.), 51,0%; turismo (not.), 50,8%.
(**) medicina, FMSP, 43,6%; engenharia de computação, EP, 43,0%.

A distribuição por área de conhecimento escolhida pelos candidatos na inscrição para exame-vestibular não traduz fielmente as suas preferências profissionais, científicas ou culturais. Pode ocorrer que eles optem por áreas em que o número de vagas é maior e há menos concorrência para terem maior probabilidade de sucesso. A análise dos dados da FUVEST para a USP em 1997 (PINHO, 2000) apóia essa interpretação. Um conjunto de opções disciplinares foi dividido em dois sub-conjuntos: A - medicina, direito, engenharia e ciências exatas; e B - englobando as carreiras oferecidas pela FFLCH – ciências sociais, filosofia, geografia, história, letras e bacharelado em física. No subconjunto A, altamente competitivo, 21,7% dos inscritos vinham de escola pública estadual e 60,9% de ensino privado;[3] no subconjunto B, em que há menor competição e maior probabilidade de sucesso, 48% dos inscritos vinham de escolas públicas estaduais e 35% de escolas privadas. Esses dados sugerem que os alunos de escolas públicas, sentindo-se menos preparados para enfrentar a forte competição no subconjunto A, optam pelo B onde há maior probabilidade de sucesso.

Também há indicações de que, enquanto a procura por vagas nas instituições públicas se mantém alta, ela pode declinar nas instituições privadas. Das 219.389 vagas oferecidas pelas instituições públicas a 1.806.208 candidatos em 1999, 96,3% foram preenchidas, enquanto que nas instituições privadas 675.801 vagas foram oferecidas a 1.538.065 candidatos mas 142.250 vagas, 21,1% da oferta, não foram utilizadas. Todas estas variáveis devem ser levadas em conta ao se discutir uma solução adequada para atender ao crescente aumento da procura, em que há grande preferência por universidades. De 1.398.753 "excedentes" em 1980 passamos a 2.600.244 em 1999. E, enquanto temos apenas 11% da faixa etária 18 a 24 anos em curso superior, os percentuais são 55% para Estados Unidos, 33% para Reino Unido e, em média, 26,7% para 7 países da América Latina[4] (DURHAM, 1998).

O Ministério da Educação estabelece como uma de suas prioridades um aumento significativo e acelerado das matrículas em ensino superior com forte participação das instituições públicas. Com um aumento de vagas de 10% ao ano sobre o ano anterior, o que não está muito distante do aumento nos últimos 10 anos,[5] chega-se, por volta de 2007, a um número de vagas que conduz a cerca de

---

[3]Além dos 2 grupos, fazem parte de cada subconjunto candidatos com histórico misto e candidatos vindos de escolas técnicas federais.

[4] Argentina, 39,9%; Bolívia, 20,6%; Peru, 33,1%; Chile, 20,6%; Uruguai, 30,2%; Venezuela, 21,6%; Cuba, 20,6%.

[5] A oferta de vagas passou de 466.795 em 1989 para 894.390 em 1999, o que corresponde a um aumento de 6,5% sobre o ano anterior em 9 ou 10 anos.

5 milhões de matrículas[6] (20% da faixa 18 a 24 anos e 2,6% da população) e, em 2010, cerca de 7 milhões (quadro II).[7]

QUADRO II - Exercício sobre n° de vagas e matrículas a ser alcançado em ensino público e privado com um aumento das vagas de 10% sobre o ano anterior

Ano	Ensino Público (x 1000)		Ensino Privado (x 1000)		Total (x 1000)	
	V	M	V	M	V	M
1999	218	832	676	1538	894	2370
2004	337	1314	1087	3043	1964	4357
2007	448	1747	1446	4048	1894	5795
2010	596	2324	1925	5390	2521	7315

Se o ritmo de aumento de matrículas no ensino privado diminuir, como sugere o não preenchimento de 21% das vagas em 1998 e 1999, o ritmo do ensino público terá que aumentar. Por exemplo, se o ensino privado se fixasse nas 1,5 milhões de matrículas de 1999, o aumento de vagas no ensino público teria que subir para 15% sobre o ano anterior, chegando-se a cerca de 880.000 em 2009 e 1,4 milhões em 2.013, para se alcançar respectivamente os 5 milhões e 7 milhões de matrículas previstas para 2007 e 2010 ao ritmo geral de 10%.

Em síntese, um programa viável de aumento de matrículas no ensino público superior que responda à procura e atenda à prioridade de se elevar o nível de educação e ampliar a sua abrangência terá que levar em conta o comportamento do ensino privado.

---

[6] Nos cálculos, levou-se em conta que, ao longo dos últimos 10 anos, em média, uma vaga corresponde a 3,9 matrículas nas instituições públicas e 2,5 nas instituições privadas.

[7] Para ter um ritmo de aumento de 10% sobre o ano anterior mantendo as mesmas proporções entre ensino público e privado do período 1980-1989, o ritmo do ensino privado pouco terá que aumentar, mas o do ensino público terá que ser 3 a 4 vezes maior do que vem sendo nos últimos anos.

Aumentos na escala admitida no exercício acima causam grande sobrecarga do corpo docente e das instalações e colocam em sério risco a qualidade do ensino de graduação e pós-graduação e da pesquisa, uma vez que 90% da procura por matrícula no ensino público superior vêm se concentrando nas 77 universidades públicas cabendo apenas 10% às 132 instituições públicas isoladas.[8] Acresce que quase metade das universidades públicas estão concentradas no Norte, Nordeste e Centro-Oeste, onde a procura por vagas representa apenas 35% do total.

Uma possível solução para evitar esse risco seria oferecer matrícula nas instituições públicas isoladas aos candidatos aprovados em vestibular nas universidades mas que não consigam vaga. O número de institutos isolados e o corpo docente poderiam ser aumentados, abrindo-se oportunidades de trabalho para os que concluem a pós-graduação. Esta solução combina com o fato de que, das 132 unidades públicas isoladas, 84 estão no Sudeste e Sul, onde é maior a procura por vagas e onde também está concentrada a pós-graduação, que poderá ser a grande fonte de novos docentes.

Também pode ser considerado concentrar o aumento em universidades menos produtivas em pós-graduação e pesquisa como forma de proteger as instituições de maior destaque nessas atividades. Essa política discriminatória, que cria para boa parte das universidades públicas dificuldades difíceis de superar no futuro, só se justifica como solução de emergência no interesse de preservar alguns centros de excelência em pesquisa e pós-graduação, essenciais ao desenvolvimento e dos quais o país não pode prescindir.

Cabe também considerar até que ponto seria viável aumentar anualmente, durante 8 a 10 anos, entre 10 e 15% ao ano sobre o ano anterior, o número de vagas nas universidades públicas em geral, sem prejuízo da qualidade da pesquisa e do ensino superior em todos os níveis. Entre as medidas que seriam necessárias, podem ser citadas:

---

[8] Números para 1998.

> assegurar autonomia didático-científica, administrativa e financeira e dotação global às universidades públicas para que possam ajustar o número de docentes e pessoal de apoio, salários, regime de trabalho e outras fontes de despesas aos recursos disponíveis;

> excluir da dotação global salários e benefícios dos aposentados, custos de hospitais de ensino, etc;

> além da dotação global, cujo valor deve ser calculado na base do desempenho em ensino de graduação e pós-graduação, pesquisa, extensão e prestação de serviços, estabelecer um fundo federal e fundos estaduais e municipais para suplementar a dotação global de cada universidade em função de seus planos plurianuais de expansão de ensino e pesquisa.

> criar incentivos que estimulem as empresas a investir em projetos de pesquisa com universidades;

> recuperar a capacidade de fomento do CNPq e das fundações e fundos estaduais de amparo à pesquisa nos níveis que foram estabelecidos em cada unidade da Federação nas constituições de 1989.

Esta última condição é essencial para que as universidades possam desenvolver suas atividades de pesquisa e pós-graduação. Com uma dotação anual de 0,3% a 3,0% da arrecadação de impostos estaduais, estas fundações e fundos contribuirão com o total de 300 a 350 milhões de dólares por ano para pesquisa e pós-graduação e para formação e fixação de pesquisadores, de acordo com as prioridades e oportunidades em cada Estado. Atualmente, embora 21 estados e DF já tenham instalado as suas fundações ou fundos, apenas seis fundações estão mantendo uma atividade regular, e destas, só a FAPESP vem recebendo com regularidade a dotação que a Constituição do Estado lhe atribui (CARVALHO DA SILVA, 2000a). A soma das quantias recebidas pelas outras 5 fundações durante o período de 1994-1999 corresponde apenas a 18,9% dos 1.468 milhões de reais que deviam ter sido transferidos nos 6 anos e com variações que vão de 4,9% a 97,4% do que deveria ter sido transferido no ano (Quadro III).

Quadro III - Variações nas transferências de recursos em seis fundações de amparo à pesquisa entre 1994 e 1999

Fundação e Percentual Previsto na Constituiçãos	Total que devia ser transferido entre 1994 e 1999 (R$ X 1000)	Transferido em percentual do total	Máximos das transferências realizadas	Mínimos das transferências realizadas
FAPESP (1.0%)	983.163	99,0%	101,4%	96,4%
FAPEMIG (1,0%)*	317.945	48,9%	83,6%	6,2%
FAPERJ (2,0%)**	796.170	12,9%	23,9%	4,9%
FAPERGS (1,5%)***	210.193	21,0%	25,9%	12,7%
FAPEPE (1,0%)	67.897	17,6%	18,5%	8,2%
FAP.DPF (2,0%)	76.146	40,6%	97,4%	4,3%

* 3% até 1994; 0,5% em 1995; 0,7% em 1996; 0,8% em 1997; 1,0% a partir de 1998.
**1,5% em 1990; 2,0% a partir de 1991.
*** Dados para 1994 a 1998.

As fundações e fundos estaduais,[9] combinadas com os "fundos setoriais (SILVA, 2000b) que estão sendo implantados pelo Ministério de Ciência e Tecnologia, poderão assegurar recursos suficientes para pesquisa e pós-graduação de bom nível em todas as unidades da Federação, desde que CAPES e CNPq mantenham seus programas de bolsas.

Alega-se também que o nosso aluno de ensino superior público é muito caro e que uma grande expansão, a curto prazo, das matrículas acarretaria custos insuportáveis para o governo federal e para os estados e municípios, tornando inevitável o ensino público pago, o que, para muitos, já seria necessário nos níveis atuais.

---

[9] Na Bahia a Constituição foi modificada em 1994 e eliminou a fundação, sob a alegação de que suas atividades já estavam sendo desenvolvidas pelo CADCT. Na Paraíba existem duas fundações: FAPESQ-PB e FAPEP; no Maranhão a FAPEMA foi extinta em 1998; no Paraná, a Fundação Araucária ficou vinculada ao Fundo Paraná, recebendo uma parcela do previsto para o Fundo.

O custo médio por aluno depende dos componentes incluídos entre os recursos atribuídos à instituição. Na análise de Durham (1988) para 1998 ele varia entre: R$17.130, se forem incluídos os custos com inativos e precatórios; R$13.208, se excluído o pagamento dos inativos; e R$ 12.262, se forem excluídos também os precatórios. Mesmo aceitando este último valor, argumenta-se que o nosso custo médio é muito alto em comparação com os países mais desenvolvidos. Em 1994, Estados Unidos, Canadá, Reino Unido, Suíça e Japão estavam numa faixa entre 10.370 e 12.900 dólares e 11 outros países da Europa e 2 do Pacífico (USP, 2000) apresentavam valores entre 3.770 dólares para Espanha e 8.720 para Noruega.[10] Todavia, é necessário levar em conta o quanto a comparação com outros países é influenciada por nossa política cambial. Ao câmbio atual, ao redor de R$2,00 por dólar, o custo médio por aluno nas universidades federais acompanha a média de 6.763 dólares para os países da Europa e do Pacífico. Acresce que os valores altos para as nossas IES resultam, em parte, de um grande número de unidades de pequeno alunato. Em 1998, a média para 12 universidades[11] com atividade em pesquisa e pós-graduação e responsáveis por 53% dos alunos de graduação nas universidades federais foi de R$ 8.754, equivalente a cerca de 4.370 dólares. Em contraste, ainda em 1998, treze centros e faculdades isoladas[12] que somam apenas 3,35% do alunato tiveram um custo médio por aluno de 20.707 reais, (U$ 10.350), sem incluir o gasto com inativos e precatórios.

Também se fazem comparações com países desenvolvidos mostrando que neles, mesmo quando o ensino superior é em grande parte financiado pelo Estado, os estudantes pagam anuidades, havendo bolsas para os alunos de menor poder aquisitivo que devem

---

[10] Em US dólares: Alemanha, 6.550; Bélgica, 6.850; Dinamarca, 6.710; Espanha, 3.770; França, 6.020; Holanda, 8.720; Suécia, 7.120; Austrália, 6.550; Nova Zelândia, 6.080.

[11] UFPE, UFBA, UnB, UFSC, UFMG, UFRJ, UFSCAR, UFRS, UFCE, UFPB, UFPA, UFPR.

[12] CEFET, RJ; CEFET, MG; CEFET, PR; CEFET, MA; CEFET, BA; EFEOA; EFEI; FUNREI; FMTM; FAFFOD; FFFCMPA; FCAP; ESAM.

ser reembolsadas após a conclusão do curso. No Reino Unido (SGUISSARDI, 1999) onde as universidades são particulares, o governo contribui com 76,6% dos recursos, outras fontes com 13,9% e os alunos com apenas 7,6%. Nos Estados Unidos (RISTOFF, 1999), onde as universidades públicas respondem por 80% das matrículas, a união participa com 76% dos 50 bilhões de dólares destinados a auxílios e bolsas para estudantes e pretende alcançar 85%; na Alemanha (GAUGER, 2000) onde, com muitas raras exceções, as universidades são públicas, união e estados destinam anualmente um bilhão de dólares para bolsas.

Afirma-se ainda que o custo do ensino público federal – cerca de 6 bilhões de reais por ano - já é muito elevado e absorve totalmente a Fonte 121. Mesmo transferindo-se a outras fontes o pagamentos dos inativos, os recursos não seriam suficientes para corrigir o salário de docentes e servidores pela inflação durante o Plano do Real nem para repor as quase 8.000 vagas de docentes e 17.000 de servidores (SCHWARTZMAN, 1998).

Na busca de um acordo entre tendências divergentes e face aos dilemas colocados pela realidade atual, pode-se admitir "in extremis" que, se em um programa de aumento acelerado de vagas nas instituições públicas de ensino superior solidamente formulado e acolhido por União, Estados, municípios e lideranças acadêmicas se colocar como condição única de viabilidade o pagamento de anuidades, essa condição poderá ser aceita mas desde que haja garantias de um volume suficiente de recursos para bolsas destinadas a alunos de menor renda, a liberação desses recursos seja ágil e, no caso de reembolso, se levem em conta as possibilidades econômicas do ex-bolsista.

Resumindo, um programa de aumento acelerado de vagas no ensino superior público deve ser visto como prioridade social; ele deve abranger todas as regiões do país e ser acessível a toda a população na faixa etária de 18 a 24 anos independentemente do poder aquisitivo, o que torna indispensável uma recuperação do ensino público básico. Sem preencher estas condições e mantendo-se a prática do limite de vagas, o ensino superior público gratuito continuará sendo mais acessível aos candidatos vindos de escolas particulares. O aumento de custos deve ser absorvido por União, estados e municípios como parte de uma política orientada para o desenvolvimento social econômico e cultural do país. É componente essencial a recuperação das fundações e fundos de amparo à pesquisa em todas as unidades da Federação para que as universidades possam desenvolver pesquisa e ensino de graduação e pós-graduação em níveis crescentes de qualidade e quantidade. Se a cobrança de anuidades se mostrar imprescindível para a implantação desse programa, ela deve estar acompanhada de um eficiente sistema de bolsas para atender aos estudantes de renda mais baixa. Em não sendo tomadas medidas adequadas para proteger a qualidade do ensino e da pesquisa, um programa de aumento acelerado de vagas pode levar o ensino superior público à mesma deterioração sofrida pelo ensino público básico. Nesse caso, em vez de uma contribuição para o desenvolvimento, os efeitos poderão ser negativos por resultarem na desorganização de universidades que atualmente desenvolvem trabalho de bom nível em ensino, pesquisa, extensão e prestação de serviços.

Referências

BRASIL. Ministério da Educação. Instituto Nacional de Estudos Pedagógicos. *Evolução do ensino superior-graduação*, 1990-1998. Brasília, 2000a.

CARVALHO da SILVA, A. Descentralização em política de ciência e tecnologia. *Estudos Avançados*, São Paulo, v. 14, n. 39, p. 61-73, 2000a.

CARVALHO da SILVA, A. *Pesquisa e desenvolvimento no Brasil atual*: alguns aspectos de seu planejamento. [S.l.: s.n.], 2000b. Mimeografado.

CHAUÍ, M. *A* universidade em ruínas. In: TRINDADE, H. (Org.). *Universidade em ruínas:* na república dos professores. Petrópolis: Vozes, 1999. p. 211-222.

CHAUÍ, M. *Números da educação no Brasil.* Brasília, 2000b.

DURHAM, E. – *As universidades públicas e pesquisa no Brasil.* São Paulo: NUPES-USP, 1998. Mimeografado.

DURHAM, E. R. Uma política para o Ensino Superior Brasileiro: Diagnóstico e Proposta. NUPES-USP, Doc. 1/1998.

GAUGER, J. D. Entre Humboldt e "hightech": sistema e reforma do ensino superior na Alemanha. *Cadernos Adenauer*, São Paulo, n. 6, p. 83-103, 2000.

PINHO, A. G. *Reflexões sobre o papel do concurso vestibular para as universidades públicas.* São Paulo: Instituto de Estudos Avançados/USP, 2000. (Educação para a Cidadania).

RISTOFF, D. J. Boyer Commission: o modelo americano em debate. In: TRINDADE, H. (Org.). *Universidade em ruínas:* na república dos professores. Petrópolis: Vozes, 1999. p. 75-86, 1999.

SCHWARTZMAN, J. Questões de financiamento nas universidades brasileiras. [S.l.: s.n.], 1998. Mimeografado.

SGUISSARDI, V. Dearing Report: novas mudanças na educação superior inglesa?. In: TRINDADE, H. (Org.). *Universidade em ruínas:* na república dos professores. Petrópolis: Vozes, 1999. p. 95-116.

UNIVERSIDADE DE SÃO PAULO. *A presença da universidade pública.* São Paulo, 2000.

UNIVERSIDADE DE SÃO PAULO. *Anuário estatístico.* São Paulo, 1999.

UMA UNIVERSIDADE PARA O PRÓXIMO MILÊNIO[1]

Marcelo DASCAL[2]

O debate relativo à questão do programa de ensino de ciências humanas (ou "liberal arts", como o denominam nos Estados Unidos), mesmo que tenha arrefecido nos últimos anos, ainda causa agitação naquele país.[3] Este debate reflete uma grande perplexidade com relação ao papel e ao futuro da "cultura ocidental". A insatisfação com seus princípios básicos, suas correntes centrais e os seus modos de ação, se expressa em tentativas diversas de "voltar às raízes", das quais uma das expressões é o fundamentalismo (que avança também dentro dos Estados Unidos). Nas condições reinantes atualmente no mundo, após o desmoronamento do regime soviético e a propagação do "modelo americano" (entre outras coisas, através da "revolução digital"),[4] é obrigatório ampliar este debate e aprofundá-lo. Para isto, é preciso abranger no debate não somente as ciências humanas, mas também outros campos do conhecimento e da cultura, inclusive as ciências exatas e a tecnologia. Igualmente é importante levar em consideração todas as formas de cultura, oriental e ocidental, setentrional e meridional, desenvolvida

---

[1] Parte das idéias abrangidas aqui foram apresentadas ante a delegação de reitores da América Latina, Espanha e Portugal em dezembro de 1995, em visita à Universidade de Tel Aviv. A presente versão foi apresentada a uma delegação semelhante em junho de 1998. Tradução do hebraico de Nancy Rozenchan.

[2] Faculdade de Humanidades, Universidade de Tel Aviv.

[3] Ver o livro de Alan Bloom. Ver também as muitas reações a este livro.

[4] O significado desta revolução e seus reflexos são de longo alcance. Não me deterei neles aqui. Direi apenas que nossa faculdade, a Faculdade de Ciências Humanas que dirijo, encontra-se em um processo de arregimentação de forças intelectuais e materiais a fim de desenvolver programas inovadores neste âmbito. Criamos, dentre outros, o "Centro de Tecnologia Avançada nas Ciências Humanas" e um programa de estudos em "Cultura Digital". Este programa combina o saber dos campos da informática, lingüística, filosofia e educação. Para material interessante sobre a revolução digital e seus reflexos educacionais e culturais, ver: *The Harvard Conference on the Internet and Society* (Boston) e S. Turkle (1995).

e em desenvolvimento, a cultura antiga e a moderna, pois o debate reflete uma "crise" em relação aos fundamentos, aos objetivos e à direção do desenvolvimento de todos os ramos da cultura. Para encontrar uma solução para esta crise, não se pode ignorar nenhuma das culturas do planeta. O debate deve ser conduzido em plano mundial: vivemos num "universo minúsculo" em que tudo o que é feito em qualquer lugar tem influência sobre as demais partes do planeta. Não é possível encontrar abrigo em nichos protegidos e certamente não na percepção da universidade como uma torre de marfim.

Os interlocutores neste debate dividem-se em dois campos principais. De um lado, aqueles que desejam defender a "cultura ocidental" frente ao relativismo, barbarismo, perda de valores, etc. Por outro lado, os que criticam uma defesa deste tipo (e o próprio uso do conceito "cultura ocidental") e que vêem neste processo uma expressão da ideologia que procura preservar antigos privilégios. Os primeiros utilizam aparentemente uma retórica liberal, mas seu enfoque prático é "neo-conservador". Pode-se ver isto nitidamente em sua exigência de incluir no programa de ensino uma lista de "livros sagrados" ("obras exemplares") obrigatórios destinados à leitura, estudo e, finalmente, à imitação. Os membros do segundo grupo utilizam uma retórica revolucionária e liberadora, mas não se revelam menos autoritários. Eles tentam definir uma lista de "obras proibidas" em que serão incluídos aqueles mesmos "livros sagrados" e sugerem, em seu lugar, uma relação de livros e enfoques "apropriados", classificados como "politicamente corretos".

Parece que há também um terceiro caminho, apoiado por muitos. O enfoque deles é que é preciso conservar a estrutura disciplinar atual da universidade (e da cultura). Eles alegam (ou supõem) que a cultura e o conhecimento são divididos, por força da realidade, em muitas disciplinas. Esta divisão, do seu ponto de vista, é o único caminho para garantir padrões profissionais elevados, avanço tecnológico e cultural, etc. Apesar de os propugnadores deste enfoque criarem às vezes campos de pesquisa interdisciplinares, estes se especializam e se institucionalizam rapidamente, e assim é que eles acham que deve ser. A universidade, de acordo com esta concepção, é principalmente o lugar destinado ao preparo de especialistas nas diversas matérias. Ela deve estimular o profissionalismo e a especialização, ao invés de um programa de estudos amplo e aberto a uma interdisciplinaridade cujo objetivo não é obrigatoriamente a especialização. Ela deve rejeitar o questionamento do significado e o valor acadêmico e cultural do fechamento dentro de uma disciplina definida e restrita. A expressão "excelência", usual entre os que propugnam esta posição, destaca apenas resultados profissionais reconhecidos como tais.

Parece-me que todos os enfoques que mencionei não são adequados para um período em que a globalização do conhecimento e da ação é o que está em jogo. Nesta nossa era, a antiga "polis" passa a ser "telepolis"[5] e a variedade multifacetada do conhecimento e da ação exige que uma universidade digna de seu nome se transforme numa multiversidade verdadeira,[6] estendida através de uma rede eletrônica sem fronteiras ("netversidade"), uma universidade que possa ser vista como existente principalmente no espaço virtual (ciberespaço) e, por isto, merecedora do nome "ciberversidade".

Os três enfoques acima mencionados baseiam-se num pressuposto autoritário ou paternalista. Deste ponto de vista, eles não são adequados ao confronto com a missão verdadeira da educação dos cidadãos para uma vida no próximo milênio. Pois, em vista da dependência crescente da tecnologia, a vida no futuro, como já nas últimas décadas do século XX, oscilará entre uma fé cega e uma desconfiança em relação à *high-tech* – uma oscilação que obriga uma capacidade de julgar de forma crítica a validade, benefício, confiabilidade e utilidade de cada inovação tecnológica. Hoje em dia, ainda aquilo que é percebido como um feito tecnológico indiscutível, suscita reflexões e dúvidas se considerado em um contexto mais amplo – por exemplo, seus efeitos ecológicos. Um outro exemplo, que está nas manchetes quase que diariamente, são

---

[5] Ver: Javier Echeverria (1994).

[6] O termo "multiversidade" foi criado por Clark Kerr, Reitor da Universidade da Califórnia. Ver: Clark Kerr (1963).

as inovações na tecnologia médica. Paralelamente à melhoria da qualidade de vida de um grupo restrito de pessoas, a medicina *high-tech* encarece o custo do tratamento médico de tal forma que a maior parte da população dificilmente consegue obter tratamento médico elementar. Além disso, apesar das experiências e controles, quase diariamente um remédio ou um tratamento que eram considerados seguros e eficientes, revelam-se repentinamente prejudiciais devido a "efeitos colaterais" que não foram levados em consideração. A crítica à corrida desenfreada pela *hi-tech* não significa porém sua rejeição uníssona. Ao contrário, ela obriga a um exame acurado de cada novo desenvolvimento que leve em consideração muito mais fatores do que os seus riscos econômicos, e que não ignore o preço social e ambiental total de um novo produto. É claro que alguém precisa se preocupar em fornecer às pessoas a capacidade e o conhecimento que lhes permitam avaliar os prós e os contras em cada caso e determinar a sua posição quanto à questão – e não é função da universidade fornecer esta capacidade?

Poder-se-ia pensar que, devido ao caráter técnico e detalhado do conhecimento exigido para a ponderação e decisão não arbitrárias em quase toda questão, não há outro modo a não ser confiar na decisão dos "especialistas". Porém, questões semelhantes surgem também com relação ao julgamento dos especialistas. Pois são "especialistas" justamente porque seu olhar profissional, pela própria natureza das coisas, relaciona-se apenas a aspectos específicos de um dado fenômeno. Mas os problemas aos quais aludimos não são unidimensionais, e freqüentemente surgem devido a um choque entre as considerações provenientes das metas diversas dos que devem cuidar deles. Será, então, necessário desenvolver uma espécie nova de "super-especialistas", pessoas cujo conhecimento será útil em âmbitos diversos, a fim de fornecer opiniões que abranjam a multi-dimensionalidade de cada problema? E o que ocorrerá – pode-se perguntar – se diversos super-especialistas (quando não nos satisfazemos com uma opinião e procuramos uma segunda ou terceira) expressarem opiniões contrárias? Quem, se não a pessoa comum, que não é especialista nem super-especialista, terá que decidir? A simples idéia de que para tudo, inclusive para problemas multi-dimensionais, deve existir um "especialista" que forneça a solução "autorizada", ilustra o quanto estamos presos ao modelo institucionalizado da divisão do trabalho e da especialização do aprendizado.

A idéia da especialização como solução de todo problema complexo provém de uma aplicação exagerada do método cartesiano. Segundo a regra de análise de Descartes, o caminho correto para tratar de problemas complexos é dividi-los em seus componentes simples, solucionar cada questão simples isoladamente, e juntar os resultados em uma solução para a questão complexa inicial. Este enfoque justifica a modularização do conhecimento, como o melhor modo de se defrontar com a complexidade dos fenômenos e dos processos estudados. Mas um procedimento destes ignora o fato de que a junção das soluções parciais não fornece obrigatoriamente uma solução para a questão abrangente, particularmente quando a divisão é arbitrária.

Além disto, a departamentalização do saber e a super-especialização vigentes suprimem a base para julgar e comparar os resultados de campos diversos do saber. Tomemos, por exemplo, a matemática. É possível tratá-la como "uma disciplina com uma linguagem e com um sistema de critérios". Porém, apesar de esta descrição servir para a criação de institutos ou faculdades de matemática, ela não garante que os especialistas reunidos em tais instituições falem a mesma "linguagem" e sejam capazes de compreender os resultados da pesquisa de seus vizinhos. De acordo com os matemáticos Davis e Hirsch, existem atualmente cerca de três mil campos de especialização dentro da "matemática". Segundo eles, um matemático profissional, com título de doutor em um dos campos, é capaz de compreender bem, no máximo, o que ocorre em dois ou três campos próximos ao seu. Isto quer dizer que ele pode identificar problemas importantes, avaliar a validade de resultados e expressar uma opinião abalizada em não mais do que 0,1% da "matemática". A concepção de que há, na matemática, uma "união" que proporciona critérios de unidade que incidem sobre toda a disciplina e que permitem decisões baseadas em avaliações objetivas de conteúdos demonstra ser um mito. Como resultado, decisões (orçamentárias, curriculares, etc.) são tomadas de acordo com critérios externos (como quantidade de publicações, nível da atividade e número de atuantes em cada sub-disciplina, sua capacidade de influenciar, etc.).[7] O mesmo ocorre em física, biologia, medicina, economia, história, lingüística e outras disciplinas. Se este é o retrato da situação *dentro* de cada uma destas disciplinas consolidadas, como serão possíveis comparações e decisões objetivas que exigem comparações *entre* disciplinas diversas?

Não é razoável supor que esta situação se modifique significativamente num futuro próximo. O que as instituições de ensino superior devem fazer é tentar encontrar caminhos para superar ou pelo menos contornar a dificuldade. Devemos pensar como é possível ajudar pesquisadores e pessoas em geral a viver num mundo em que não há especialistas que possam impor sua opinião a não-especialistas, mas exige de não-especialistas que decidam, de modo não profissional, mas equilibrado, na medida do possível, quanto ao valor das opiniões dos especialistas. Para viver num mundo como este, devemos aprender a ser desconfiados e críticos, a sobrepor-nos à tendência natural de confiar numa autoridade, qualquer que seja ela (inclusive a de especialistas) e, ao mesmo tempo, executar estas tarefas, tanto quanto possível, de modo responsável e racional.

A universidade está intimamente vinculada à idéia de sociedade democrática. Uma das tarefas básicas que se lhe apresentam, portanto, é desenvolver em todos os cidadãos as habilidades necessárias para a concretização da cidadania em uma sociedade complexa e aberta. Estas habilidades abrangem principalmente a possibilidade de pensamento crítico, de avaliação independente e equilibrada de opiniões divergentes, de participação ativa e responsável nos processos de tomada de decisões, e, também, a capacidade de localizar fontes de informação fidedignas em todo campo importante. Todas estas habilidades devem ser ensinadas e aplicadas de modo intensivo por todos os estudantes que adentram

---

[7] Ver: Philip J. Davis e Reuben Hirsch (1984).

os portões da academia, para que possam depois difundi-las a todos os cidadãos.

Não me deterei aqui sobre os detalhes dos meios de proporcionar estas habilitações (algo que não é trivial). Permitam-me, apenas, lembrar algumas idéias gerais. Para que os cidadãos sejam capazes de se defrontar com as decisões que estão em questão, é preciso, na medida do possível, expô-los ao saber tecnológico e especializado amplo. A intenção não é transmitir-lhes um conhecimento formulado num jargão incompreensível, em palavras "mágicas" apresentadas de forma exibicionista, mas um conhecimento acessível, compreensível, atual, em linguagem popular mas exata – um saber difundido em livros não especializados, na televisão e na internet. Este objetivo deve estar à testa da escala de prioridades de cientistas e educadores. Um objetivo central adicional deve ser o desenvolvimento de tecnologias de comunicação inovadoras que garantam a quem o quiser, sem grandes dificuldades, acessibilidade máxima do conhecimento, e transformação do seu uso em algo barato e fácil em cada casa. Porém, a eficiência destes alvos está ligada ao desenvolvimento paralelo da capacidade de julgamento do próprio cidadão. É dever do cidadão acionar a sua capacidade de julgamento e tentar aprimorá-la incessantemente. Ele não deve se submeter à tentação da obediência cega aos "super-especialistas", aos "fornecedores do saber", ou aos "agentes" informatizados ou outros, ao mesmo tempo em que desiste da deliberação, da autonomia e da responsabilidade. Somente a auto-confiança na sua capacidade de julgamento lhe possibilitará não se submeter à força de qualquer autoridade. A vontade e os meios para se defrontar com a missão e não despejar a carga sobre listas de "livros sagrados" ou de "livros proibidos", sobre conselheiros, ideologias, ou sobre qualquer outra autoridade, é que darão ao cidadão a força necessária para concretizar o ideal iluminista de Kant: "sapere aude!", ouse saber! E, com isto, a possibilidade de transformar-se em adulto no sentido amplo da palavra.

O melhor caminho, na minha opinião, de proporcionar aos nossos estudantes as habilitações necessárias para a vida no próximo milênio, é lhes fornecer um ambiente educacional pluralista, mesclado com sofisticação tecnológica máxima, que eles aprenderão a usar, criticar e regular de acordo com a necessidade. É preciso expor os estudantes inicialmente a uma ampla variedade de formas do conhecimento e da cultura, e não direcioná-los *a priori* a uma senda estreita de especialização. Este objetivo será obtido no decorrer dos estudos de graduação, pelo uso dos meios aprimorados de difusão do conhecimento mencionados acima. É preciso expor ante os estudantes os traços que ligam tantos campos do saber quanto possível, em cada disciplina, em cada faculdade, e na universidade como um todo. Na maioria das disciplinas hoje se afirma que a interdisciplinaridade contém muitas possibilidades de fertilização mútua e progresso. Apesar disto, a tendência a ver numa disciplina a matriz básica e "séria" do conhecimento persiste e determina a concepção predominante do que vem a ser "excelência". Por isto, pouco foi feito até agora para criar as condições das idéias e práticas para a concretização da interdisciplinaridade verdadeira.

Não devemos esquecer que os estudantes serão não apenas os pesquisadores do futuro, mas também cidadãos e educadores do futuro. Em cada uma destas funções, eles devem ser capazes de se defrontar com a existência de critérios diferentes, tentativas de um campo dominar o outro, debates acirrados entre eles abrangendo deslegitimação mútua, e assim por diante. Por isto, é importante colocar ante os estudantes dilemas e problemas, verdadeiros e imaginários, para os quais não há respostas "corretas" ou antecipadamente prontas. Nós, seus professores, precisamos fazer todo o possível a fim de avaliar as escolhas/soluções sugeridas por eles não apenas segundo os **nossos** padrões (e deste modo impor a eles a autoridade destes padrões), mas também de acordo com outros critérios possíveis, que mesmo se não são aceitos por nós, podemos, no mínimo, imaginá-los como possíveis. Nisto não somente pregaremos um pluralismo fundamental, mas o exemplificaremos diante dos estudantes.

É preciso confessar que neste enfoque não poderemos criar "certezas" nos estudantes. Alguns deles – aqueles que não podem viver sem verdades absolutas – abandonarão a universidade e procurarão estas verdades na religião ou em outra fonte. Porém, não poderemos estar em paz conosco mesmos e com a missão que se apresenta a nós, se por medo de perder alguns alunos, estimularmos uma crença falsa na certeza que não se encontra em nossos espaços – tanto os científicos como os filosóficos. Se há uma verdade nítida que a cultura ocidental, em seu esforço em busca do conhecimento nos ensinou, é a antiga mensagem socrática de que, quanto mais aprendemos, esclarece-se para nós quão grande é a nossa ignorância. O avanço cada vez mais acelerado do saber e da tecnologia que nos espera exigirá de todos nós uma grande agilidade intelectual para compreender e avaliar as novidades que nos serão propostas dia a dia como se fossem – cada uma delas – manifestações da verdade absoluta. Para cumprir seu papel formativo, a universidade do futuro terá que permanecer fiel ao espírito crítico que a mensagem socrática expressa tão limpidamente.

Referências

BLOOM, A. *The closing of the american mind*: how higher education has failed democracy and impoverished the souls of today's students. New York: Simon & Schuster, 1987.

DAVIS, P. J.; HIRSCH, R. *The mathematical experience*. Harmondsworth: Penguin Books, 1984.

ECHEVERRIA, J. *Telepolis*. Barcelona: Ediciones Destino, 1994.

KERR, C. *Uses of the university*. Cambridge, Mass.: Harvard University Press, 1963.

The Harvard Conference on the Internet and Society (Boston)

TURKLE, S. *Life on the screen:* identity in the age of the internet. New York: Simon & Schuster, 1995.

Memórias da
Greve

CRONOLOGIA DE UMA GREVE SURPREENDENTE[1]

A maior mobilização desde a greve de 1989 questionou as estruturas de poder

3 de abril

O Fórum das Seis reúne-se com o CRUESP na Secretaria de Ciência e Tecnologia. A reunião discute o cronograma para as negociações de data-base. Os itens fundamentais do debate são: (1) o adiantamento do pagamento do reajuste, a ser negociado durante o mês de abril, para o início de maio (ao invés de no início de junho), o que é aceito pelo Fórum; (2) as datas iniciais de negociação: o CRUESP aceita a proposta do Fórum de 13/4 e 19/4; (3) a discussão integrada do reajuste de data-base e dos projetos das reitorias para cada universidade, que o Fórum recusa, manifestando aos reitores a decisão de só discutir reivindicações específicas de categorias ou propostas particulares de cada universidade após a negociação das reivindicações salariais unitárias de docentes e funcionários. O CRUESP também propõe que um eventual acordo tenha validade por dois anos, sendo submetido a revisões anuais, e o Fórum declara que levará a idéia à consideração das assembléias. Além de registrar a reivindicação de reajuste imediato de 25%, o Fórum apresenta argumentos quanto à necessidade de proteção sistemática dos salários em relação à corrosão inflacionária.

5 de abril

Lançada, com sucesso, a Campanha Salarial de 2000. Após o lançamento, no auditório da História,[2] docentes e servidores, com apoio do DCE, realizam passeata até a Reitoria da USP, para entrega da pauta de reivindicações. Mais de mil pessoas participam da manifestação. Pela manhã, debate organizado pela ADUSP lotou o auditório da História.

---

[1] *Informativo ADUSP* de junho de 2000.
[2] FFLCH da USP.

13 de abril

Manifestação pacífica do Fórum das Seis e estudantes na Secretaria da Ciência e Tecnologia, durante negociação com o CRUESP, é tumultuada pela PM. De modo inesperado, arbitrário e truculento, a PM tenta impedir a manifestação e fere várias pessoas. Policiais atiram bombas de gás e fazem disparos para o ar. Mais tarde, no interior do prédio, dois sindicalistas são algemados pela PM. A negociação com o CRUESP não acontece. A repressão é requisitada e referendada pelo secretário José Anibal, sem suscitar a reação enérgica que seria esperada dos reitores.

14 de abril

A Reitoria da USP divulga comunicado que ignora as reivindicações do Fórum das Seis. A ADUSP divulga nota oficial repudiando os fatos ocorridos na véspera e aguardando "providências efetivas de negociação por parte do CRUESP, no sentido de reverter as péssimas condições salariais vigentes na USP, UNESP e UNICAMP".

19 de abril

Em reunião com o Fórum das Seis, as reitorias apresentam estudos sobre as reivindicações encaminhadas no dia 5. A proposta do CRUESP inclui 7% de reajuste a partir de abril e 3% de abono sobre a massa salarial de abril a dezembro de 2000.

20 de abril

A ADUSP repudia a tentativa da Reitoria de intimidar os participantes das paralisações realizadas nos dias 5 e 13, em defesa da Universidade pública: "Vários colegas, chefes de departamento e diretores de Instituto estão sendo pressionados pela reitoria a entregar listas nominais de funcionários que participaram das paralisações".

25 de abril

Na assembléia, os professores da USP decidem entrar em greve no dia 26, reivindicando reajuste de 25% a partir de maio e reposição automática sempre que a inflação acumular 5%. Também entram em greve os funcionários da USP, professores e funcionários da UNICAMP e de vários campi da UNESP. E, no mesmo dia, os estudantes da USP.

26 de abril
No primeiro dia de greve, diversas unidades aderem ao movimento.

27 de abril
Representação do Fórum das Seis comparece a uma reunião técnica com representantes do CRUESP e expõe a metodologia adotada na construção das suas estimativas para a evolução do ICMS e da receita das Universidades em 2.000. Na assembléia, são lidas moções de apoio das congregações do ICB, que defende o reajuste imediato de 25%, e da FFLCH, que expressa por unanimidade a solidariedade à greve. O reitor da USP atende ao convite feito pela ADUSP ao CRUESP, e comparece para explicar a política financeira das universidades. Argumenta, sem convencer, que o atendimento à reivindicação de 25% de reajuste deixaria margem estreita para o pagamento das demais despesas da universidade.

28 de abril
O movimento realiza ato público diante da Reitoria, reparte um grande bolo que representa o orçamento e solta milhares de balões coloridos com a inscrição "25% já". Os campi de Ribeirão Preto e Pirassununga entram em greve.

2 de maio
Assembléia delibera pela continuidade da greve, reivindica nova reunião de negociação com o CRUESP e sugere à ADUSP que responda a artigos do reitor Jacques Marcovitch (publicado na Folha de S. Paulo) e José Goldemberg (no O Estado de S. Paulo). Aprova também moção de repúdio aos pedidos de listas de grevistas e propõe ao Fórum das Seis a discussão sobre a adequação das reivindicações ao reajuste já concedido.

4 de maio

Assembléia indica ao Fórum das Seis a articulação com as entidades estudantis para incorporação da pauta proposta pelos estudantes, com a organização de luta unitária no âmbito da LDO, junto ao governo do Estado e à Assembléia Legislativa. Indica a realização do 4º Congresso da USP e encaminha, para discussão nas assembléias setoriais, a pauta de reivindicações dos estudantes, que inclui contratação de professores e funcionários, vagas na moradia, HU para todos, eleições diretas para reitor e diretores de unidades, paridade nos conselhos, extinção das fundações privadas, mais verbas (11,6% do ICMS) e vinculação do Centro Paula Souza e FATEC à UNESP. Na FEA, os alunos fazem assembléia com 749 participantes seguida de votação secreta e decidem "apoio à greve, sem adesão". A proposta de apoio com adesão perde por apenas 28 votos.

5 de maio

O Fórum das Seis realiza novo ato diante da Reitoria da USP, para assinalar a entrega de planilhas com os dados solicitados pelo CRUESP. A manifestação, que contou com a participação dos estudantes, culminou com um "abraço" no prédio da Reitoria. Dez professores do ICB ministram a primeira "Aula na Greve", para um público que chega a 400 pessoas, em sua maioria estudantes. O tema principal é a deterioração da USP.

8 de maio

O CRUESP convoca nova reunião de negociação para o dia 9, na Reitoria da UNESP, mas, de última hora, anuncia a mudança do local para o campus da UNESP de Rio Claro.

9 de maio

Fracassa a manobra dos reitores de desmobilizar o ato do Fórum das Seis. Mais de 1200 funcionários, estudantes e professores deslocam-se para Rio Claro e fazem uma bonita passeata pelas ruas da cidade. Na reunião de negociação, os reitores propõem apenas um reajuste de 3,75% em janeiro de 2001. Ou "0% já", como anunciou nosso Boletim. A Reitoria da USP obtém na 11ª Vara da Fazenda Pública uma liminar que procura "quebrar" financeiramente o SINTUSP, fixando multas de 10 mil reais por dia e por prédio bloqueados.

10 de maio

A maior assembléia realizada até aquele momento rejeita a proposta apresentada pelo CRUESP na véspera e aprova por unanimidade a continuidade da greve. A adesão da Faculdade de Saúde Pública reforça a greve na USP. A UNESP informa agora a paralisação de 100% e a UNICAMP mantém a greve.

11 de maio

A direção do Museu Paulista convoca reunião geral na qual exige a realização de um plebiscito sobre a continuidade da greve, não reconhecendo a decisão da assembléia realizada, que decidira suspender o atendimento ao público. A direção sustenta que o museu irá sofrer multas em virtude do fechamento e que, por isso, seria obrigada a registrar um Boletim de Ocorrência. Neste mesmo dia, é registrado esse Boletim de Ocorrência que relaciona nominalmente dez funcionários engajados no movimento grevista.

12 de maio

O Fórum das Seis envia ofício ao CRUESP com as decisões das assembléias, que rejeitaram a proposta dos reitores do dia 9, reiterando o pedido da planilha de maio e o agendamento imediato de nova reunião de negociação. A indignação fortalece a greve, que chega à terceira semana com o fôlego renovado e o apoio de uma dezena de congregações. Plebiscito na FEA decide pela posição de não aderir à greve, por 67 votos a 41, com dois votos em branco.

15 de maio

O SINTUSP começa a organizar um fundo de greve. Aula na greve do Professor Antonio Candido sobre "Cidadania e movimentos populares"

16 de maio

O CO da USP reúne-se e debate a greve. Um abaixo-assinado com 67 assinaturas dos 105 membros do CO é entregue ao reitor e pede que ele "promova junto ao CRUESP uma agenda contínua de negociações com o Fórum das Seis, com periodicidade máxima de uma semana, tendo como objetivo a elevação do índice de reajuste salarial na data-base de 2.000 e a recuperação de perdas salariais a partir de maio de 1995". Os estudantes ocupam a Reitoria da USP durante a reunião do CO e conseguem reunir-se com o reitor.

17 de maio

Na Escola Politécnica, a greve se torna massiva. Os estudantes desocupam a Reitoria de forma organizada. Por decisão de assembléia, os funcionários estendem à Reitoria os piquetes.

18 de maio

A assembléia da ADUSP decide fazer uma contraproposta, com índice menor de reajuste imediato, mas com complementação subseqüente do reajuste por uma política salarial. Essa contraproposta é levada ao Fórum das Seis. A mobilização crescente das categorias em greve na USP, UNESP e UNICAMP, a avalanche de moções dos colegiados e o apoio conquistado junto à sociedade levaram o CRUESP a sair do imobilismo e convocar uma nova reunião técnica, para o dia 23, na UNICAMP. O CRUESP finalmente entrega a planilha atualizada com a apuração preliminar do ICMS de abril (R$ 1,701 bilhão). Ou seja, a previsão do governo foi superada em R$ 104 milhões. — Trabalhadores do setor público estadual e federal, e estudantes, são violentamente agredidos pela Polícia Militar do governo Covas na Avenida Paulista, diante do Masp. Cavalaria, cães e tropa de choque são usados para bloquear e dissolver a passeata que pretendia seguir até a Assembléia Legislativa. Os manifestantes, em número estimado em 50 mil, voltam pela Paulista em passeata e descem a Consolação até a Praça da República. É a maior manifestação pública de repúdio ao arrocho salarial e às políticas de educação e saúde do governo Covas.

19 de maio

O Fórum das Seis aprova indicativo de contraproposta a ser apresentada ao CRUESP. A contraproposta tem três partes articuladas: (1) reajuste de 20% em maio, o que, descontando os 7% de abril, representava um reajuste adicional de 12,15% a ser pago em junho; (2) reajuste em agosto e novembro de 2000, que levasse em conta a massa salarial e a evolução do ICMS; (3) retomada, a partir de janeiro de 2001, de política salarial anteriormente posta em prática nas universidades, que levava em conta o crescimento do ICMS e a inflação.

21 de maio

Na Escola Politécnica, 328 docentes participam do plebiscito recomendado pela Congregação. A maioria, 183, vota a favor da greve. Há 134 votos contrários e 11 nulos ou em branco.

22 de maio

O Campus de Piracicaba (USP) entra na greve.

23 de maio

Reunião técnica na UNICAMP. Pela primeira vez na história das negociações com o Fórum das Seis, o CRUESP tenta determinar unilateralmente o número de negociadores das entidades de docentes e funcionários. O Fórum recusa-se a aceitar a imposição; o CRUESP recua. O Fórum apresenta sua contraproposta: 20% de reajuste sobre março e política de recomposição salarial até a próxima data-base.

25 de maio

A Congregação da Faculdade de Direito da USP decide encaminhar moção ao CO para que este e o reitor tomem "as providências cabíveis destinadas a resolver a atual situação de crise pela qual passa nossa universidade". A Congregação proclama legítima a greve e repudia "qualquer forma de sanção sobre a comunidade acadêmica, afastando-se a falta de pagamento de vencimentos e a determinação de descontos a funcionários e professores paralisados, bem como a imposição de listas de presenças aos alunos". Dezenas de milhares de manifestantes vão ao Palácio dos Bandeirantes e mostram a Covas que a ação truculenta da PM na Paulista não intimidou o movimento.

27 de maio

Nova reunião de negociação com o CRUESP, desta vez na Escola Politécnica. O CRUESP oferece mais 4,25% sobre o salário de março, mas retira a incorporação do abono em janeiro de 2001.

29 de maio

A assembléia geral da ADUSP delibera pela continuidade da greve, por considerar insuficiente a proposta do CRUESP de reajuste adicional de 4,25%. Por decisão da assembléia, professores "descem" da História até a Reitoria e pedem uma audiência com o reitor. A conversa, na sala do CO, dura mais de duas horas.

30 de maio

O Conselho Universitário da UNESP aprova deliberações que apóiam as reivindicações de docentes e funcionários em greve, tais como a exortação ao CRUESP para que realizasse reuniões semanais de negociação e o aumento da cota do ICMS para 11,6%. Na UNICAMP, os funcionários decidem impedir a reunião do Conselho Universitário.

31 de maio

Os trabalhadores do setor público estadual, incluídos os das universidades, em greve por melhores salários voltam às ruas, ocupando boa parte da Av. Paulista e saindo em animada passeata pela Av. Brigadeiro Luiz Antonio, até a Assembléia Legislativa.

1º de junho

Seguida troca de correspondência entre o Fórum e o CRUESP, sem resultados. Apesar da disposição do Fórum em reabrir a negociação, os reitores mantêm sua intransigência, preferindo ignorar o aumento verificado na arrecadação de maio no estado de São Paulo. A assembléia da ADUSP ouve relatos de 18 unidades, nas quais se realizaram assembléias setoriais, plenárias e reuniões com diretores. E, por unanimidade, delibera pela continuidade da greve. O Fórum das Seis, representado pela diretoria da ADUSP, reúne-se com membros da COP[3] e assessores da reitoria da USP, no prédio da FEA. A finalidade da reunião é esclarecer a contraproposta do Fórum das Seis e comentar o estudo da COP intitulado "Situação Orçamentária da USP em 2000 e Política de Recursos Humanos", datado de 25 de maio.

6 de junho

Apesar da insistência do Fórum das Seis, não há negociação. A Reitoria da USP pune docentes e funcionários, na forma de descontos dos dias parados no salário, e corta os repasses de receita à ADUSP e ao SINTUSP.

7 de junho

A assembléia decide pela continuidade da greve, repudia as punições e cria uma Comissão de Mediação, para romper o impasse nas negociações. Também resolve destinar parte do fundo de reserva da ADUSP a um fundo de greve, e nomeia uma comissão para geri-lo. A ADUSP publica matéria paga nos jornais diários criticando a atitude do reitor da USP de praticar descontos aleatórios nos salários de docentes e funcionários e de reter o repasse devido às entidades sindicais. O Fórum das Seis é recebido pela Reitoria da UNICAMP. Além do reitor Hermano Tavares e dos pró-reitores da UNICAMP, estavam presentes representantes do STU, SINTUSP, ADUSP, ADUNICAMP, ADUNESP e FRASUBRA. O Fórum leva ao reitor o pedido de abertura imediata de negociações.

8 de junho

Cumprindo deliberação da assembléia, a diretoria da ADUSP constitui Comissão de Mediação junto à Reitoria da USP, composta pelos professores Antonio Candido, Dalmo Dallari, Aziz Ab'Saber,

---

[3] Comissão de Orçamento e Patrimônio.

Milton Santos, Alfredo Bosi e Gerhard Malnic. Parte da Comissão visita o reitor na mesma noite em que é formada.

9 de junho

O dia é marcado pelo esforço de docentes e funcionários em reabrir as negociações. O professor Malnic negocia por telefone com o reitor, e, ainda pela manhã, envia mensagem à ADUSP com documento anexo da Reitoria. Nesse documento, a Reitoria assume vários compromissos, aceitando a reabertura de negociações desde que os piquetes sejam desativados. É também enviada uma mensagem do reitor a Malnic, de que se depreende um pedido de sigilo e o reconhecimento do papel mediador da Comissão de Mediação. Depois disso, a assembléia dos funcionários aprova a flexibilização do piquete de modo que qualquer forma de convencimento se afastasse o mais possível da porta da reitoria e não impedisse a entrada de ninguém. Mas, enquanto isso acontece, a reitoria divulga aos diretores um comunicado com os compromissos apresentados na sua proposta original. Além disso, um novo informe da CCS[4] anuncia que a Reitoria retirou a proposta, alegando que a ADUSP a havia distorcido. No final da tarde, após as informações chegarem à ADUSP, parte dos professores da Comissão de Mediação (Gerhard Malnic, Antonio Candido e Aziz Ab'Saber) se reúne e solicita ao reitor uma audiência. Entretanto, o professor Marcovitch não se dispõe a receber a comissão. Os mediadores dispõem-se, então, a comparecer à próxima assembléia da ADUSP, para dar seu testemunho sobre o comportamento da entidade e o do reitor.

12 de junho

Na assembléia, a platéia emocionada ouve os depoimentos dos professores Gerhard Malnic, Aziz Ab'Saber, Alfredo Bosi, Dalmo Dallari e Antonio Candido, todos da Comissão de Mediação (o professor Milton Santos não pôde estar presente, por problemas

---

[4] Coordenadoria de Comunicação Social.

de saúde). A Comissão faz depoimento histórico e é aplaudida de pé. A assembléia aprova a continuidade da greve. O CRUESP propõe negociação para o dia 14, sem informar o local.

13 de junho
Ato público do Fórum das Seis no gramado da Reitoria da USP. O CRUESP informa, finalmente, o local da próxima negociação: a Faculdade de Odontologia da UNESP, em São José dos Campos.

14 de junho
Vigília pela negociação e abraço no Relógio da USP. Em São José dos Campos, tem início a negociação decisiva com o CRUESP, que termina às 5h30 da madrugada do dia 15.

15 de junho
Após avaliar as importantes conquistas do movimento, assembléia histórica decide pela suspensão da greve.

16 de junho
Docentes, alunos e funcionários discutem a reposição das aulas e a retomada das demais atividades acadêmicas.

A GREVE E O RESGATE DA UNIVERSIDADE PÚBLICA PAULISTA

Emanuel Rocha WOISKI[1]
Maria Valéria BARBOSA[2]
Sueli Guadelupe de Lima MENDONÇA[3]

Introdução

O primeiro semestre do ano 2000 caracterizou-se por uma crescente mobilização e até mesmo, em alguns momentos, por uma forte greve dos trabalhadores dos serviços públicos do Brasil. Esse movimento, que contou com o apoio da população, apesar do recrudescimento da repressão e à revelia da grande mídia, pode ser entendido como uma resposta às conseqüências da política neoliberal implementada pelos Governos federal, estaduais e municipais, política essa presente no cenário mundial no final do século XX. De fato, apesar do aparente refluxo dos últimos anos, os movimentos populares organizados, em especial o sindical, deram provas de uma inesperada vitalidade. Assim, os movimentos sociais, através de importantes ações, apresentaram sua disposição em manter seus direitos, marcando, dessa forma, com sua capacidade de luta e resistência, a possibilidade de reverter essa brutal conjuntura.

A luta central em defesa dos interesses do conjunto da sociedade brasileira contra a política neoliberal tem sido evidenciada pelo combate à política de reformas que, a pretexto da modernização da sociedade, vem implicando na expansão da exclusão social. Subordinado à ditadura do Executivo, aos mecanismos historicamente corrompidos do Legislativo e, afinal das contas, aos interesses das elites, o *Estado Democrático de Direito* se torna cada vez mais uma peça de retórica e de propaganda. Dotados de alguns instrumentos oriundos da ditadura e de outros recém-criados, os

---

[1] Faculdade de Engenharia – UNESP – Campus de Ilha Solteira.
[2] Faculdade de Filosofia e Ciências – UNESP – Campus de Marília.
[3] Faculdade de Filosofia e Ciências – UNESP – Campus de Marília.

governos vêm buscando não apenas criminalizar os movimentos sociais, ameaçando-os com o uso de uma Lei de Segurança Nacional ressuscitada e rejuvenescida, mas também reprimi-los brutalmente com o emprego de um aparato tecnologicamente sofisticado. Acrescente-se aí o arrocho salarial, o desemprego e os evidentes descaminhos da privatização, e teremos preparado o caldo de cultura da mobilização popular centralizada em defesa do espaço público. Assim, recentemente, greves de trabalhadores de Universidades Públicas Estaduais (São Paulo, Rio de Janeiro, Santa Catarina, Paraná, Mato Grosso e Bahia) e também de servidores públicos federais e estaduais tiveram como *eixo central a defesa do serviço público como direito de todos e dever do Estado*, delineando a possibilidade de pôr fim à política monitorada pelo Banco Mundial e pelo FMI e implementada pelo governo.

Em particular, interessa-nos de perto (e, portanto, será analisada, aqui, com certo detalhe) a greve da UNESP, UNICAMP, USP e do Centro Estadual de Educação Tecnológica "Paula Souza" (CEETPS), a qual ao mesmo tempo integrou e abriu espaço para o atual cenário nacional.

Breve histórico

Desde o Decreto nº 29.598 (02/02/89) da Autonomia Universitária das Universidades Estaduais Paulistas, a questão salarial passou a ser negociada diretamente entre o Conselho de Reitores da UNESP, UNICAMP e USP, o CRUESP – integrado também pelo Secretário Estadual de Ciência e Tecnologia – e o Fórum das Seis Entidades.[4] A partir daí, estabeleceu-se um processo de

---

[4] O Fórum das Seis Entidades foi organizado pelos sindicatos de docentes e funcionários da UNESP, UNICAMP, USP e do CEEETPS: ADUNESP Ssind., ADUNICAMP Ssind., ADUSP Ssind., Sintunesp, STU, SINTUSP e Sinteps. Apesar de o nome referir-se a seis entidades, ele é composto de sete, havendo perspectivas de congregar outras entidades das Faculdades Estaduais de São Paulo. Foi opção política manter o nome Fórum das Seis, pois esta marca já estava arraigada na comunidade universitária, apesar do aumento na sua composição. Tanto a participação do Sindicato do CEETPS como a de outros sindicatos das Faculdades Estaduais se deve ao fato de os reajustes salariais dos seus trabalhadores estarem diretamente relacionados aos estabelecidos pelo CRUESP, uma vez que estão vinculados à Secretaria Estadual de Ciência e Tecnologia.

negociação, que foi construindo sua própria fisionomia e características políticas e econômicas, advindas umas da própria autonomia universitária e outras do processo histórico e da correlação de forças à época.

O decreto da autonomia estabeleceu, inicialmente, a destinação de 8,4% da receita líquida do Imposto de Circulação de Mercadoria (ICMS) como fonte de manutenção dos salários, custeio e investimento para as Universidades Estaduais.[5] Essa situação, que colocou efetivamente as Universidades fora da negociação geral do funcionalismo público estadual com o Executivo, deu origem a uma inédita sistemática de negociação. Assim é que o CRUESP e o Fórum das Seis passaram a ter reuniões periódicas, nas quais se tratava da questão salarial calcada principalmente na análise dos dados da arrecadação do ICMS paulista.

Desde o início, ficou evidente a discordância entre o Fórum e o CRUESP nessa questão. De seu lado, os reitores apresentavam sua avaliação baseada nos tímidos dados da previsão da arrecadação do ICMS elaborada pela Secretaria Estadual da Fazenda, uma vez que o repasse feito por esta às Universidades era calculado a partir desses dados. O Fórum, por seu lado, baseava-se em estudos e acompanhamento da evolução do ICMS, apresentando, na maioria das vezes, uma previsão de arrecadação mais próxima daquela que efetivamente se realizaria. Ao longo dos anos, esses estudos se transformaram em importantes instrumentos de negociação com os reitores.

O embate nas negociações era permeado por essa discussão aparentemente técnica. Porém, a questão política de fundo era a submissão do CRUESP ao Governo de Estado, via Secretaria da Fazenda. A autonomia universitária não era efetivamente exercida pelas universidades, já que seus reitores sempre iam *pedir o aval* do Executivo para suas decisões.

---

[5] Este percentual estabelecido pelo Decreto, desde o início, estava abaixo do percentual historicamente destinado às universidades pelo Governo Estadual. Neste sentido, a reivindicação do Fórum das Seis Entidades pelo aumento da dotação orçamentária para 11% do ICMS está pautada nessa série histórica.

Em momentos em que a mobilização das três Universidades se fez presente de modo significativo, o Fórum conseguiu resultados mais positivos nas negociações salariais, tendo como exemplo notável o estabelecimento de uma política salarial no início da década de 90.[6] Tal fato garantiu na época, diante dos altos índices de inflação, uma perda salarial menor, uma vez que os trabalhadores das três Universidades foram a única categoria que conseguiu converter o salário em URV pelo melhor índice em real.

Essa polêmica permanente[7] entre Fórum e CRUESP fez com que a discussão abrangesse outros aspectos essenciais à vida da Universidade, ou seja, o seu financiamento. Mesmo concordando com a insuficiência de recursos para o atendimento das reivindicações salariais, o CRUESP demorou muitos anos para se posicionar de forma politicamente favorável ao aumento do percentual para as universidades. O Fórum, ao contrário, desde o início da autonomia, expunha a limitação dos recursos para a existência das universidades, não apenas para salários, mas para que se mantivesse a garantia de qualidade em todos os seus serviços.

Neste sentido, o Fórum foi construindo uma ação política junto à Assembléia Legislativa e ao Executivo do Estado de São Paulo pelo aumento do percentual do ICMS de 8,4% para 11% às universidades. Essa luta teve seus ganhos concretos, ao longo dos anos 90, com o aumento do percentual para 9% em 1991 e 9,57% em 1994.[8] Evidentemente essas conquistas aconteceram em

---

[6] Neste momento foi definido como política salarial o repasse ao salário do índice da evolução do ICMS ou da FIPE do mês, o que fosse menor.

[7] Na forte greve 1994, esse embate técnico culminou no debate promovido pelo jornal *Folha de São Paulo*, em que representantes do Fórum e do CRUESP discutiram se as reivindicações salariais "cabiam" ou não dentro do orçamento das universidades. O Fórum venceu o debate e, com o fechamento do ano de 1994, foi confirmada a análise do Fórum e não a do CRUESP. Em julho do mesmo, ano foi conquistado um significativo abono salarial, já resultante de uma fórmula matemática (acordada numa reunião de negociação) que considerava dados concretos da evolução do ICMS.

[8] O percentual destinado às universidades compõe o orçamento do Estado de São Paulo, objeto da Lei de Diretrizes Orçamentárias, implementada no ano subseqüente.

momentos de grande mobilização da comunidade universitária, inclusive com fortes greves. O movimento entendia, com muita clareza, que suas reivindicações econômicas, a melhoria e a expansão da universidade pública paulista – uma reivindicação permanente desse movimento – esbarravam no limite da dotação orçamentária das universidades. Por isso, mesmo quando a negociação com o CRUESP se esgotava, sem perspectiva de avanço, o Fórum continuava a luta junto à Assembléia Legislativa na discussão da Lei de Diretrizes Orçamentárias (maio/junho) e da Lei Orçamentária (outubro/novembro), visando o aumento e a garantia da dotação orçamentária das universidades.

A Pauta de Reivindicações – econômicas e políticas – do Fórum das Seis Entidades não se alterou muito desde a autonomia universitária, o que demonstra a justeza dessas reivindicações com as demandas efetivas dos trabalhadores do ensino superior público paulista e do CEETPS. O que diferenciava um ano do seguinte era a maior ou menor disposição de luta exibida pelos segmentos (docentes, funcionários e alunos), aliada às condições concretas de mobilização. Na verdade, como veremos a seguir, foram exatamente essas circunstâncias que tornaram o ano 2000 especialmente diferente dos demais.

A greve de 2000

Desde o final de 1999, o Fórum das Seis vinha chamando a atenção, a partir das análises das perdas salariais, por um lado, e do cenário de crescimento da arrecadação do ICMS, por outro, para o fato de que se estavam acumulando condições extremamente favoráveis para um reajuste ainda no final daquele mesmo ano, que contemplasse uma significativa recuperação salarial para os servidores das três Universidades e do CEETPS.

O CRUESP, por sua vez, no *Ofício 019/99*, em resposta ao Fórum, remeteu a discussão para uma reunião a ser realizada apenas em fevereiro do ano seguinte, 2000, alegando que era preciso obter uma idéia mais clara do comportamento da arrecadação do

ICMS e que era necessário aguardar-se a aprovação do orçamento para 2000 pelos Conselhos Universitários.

No *Ofício 020/99*, o CRUESP acrescentou à sua argumentação o elevado peso relativo dos inativos nas folhas de pagamento. No *documento sem número de 03/03/2000*, o CRUESP fez referência explícita a "políticas não-lineares", aparentemente *dando adeus à isonomia,* em suplementação ao reajuste atribuído pelo CRUESP, que seria fixado em maio. Até então, o CRUESP utilizava a metodologia das planilhas "em fluxo de caixa", incluindo-se os recursos da Lei Kandir.

Após cuidadosos estudos, o Fórum das Seis conseguiu elaborar uma proposta para um reajuste salarial que, aliada a uma política de recomposição, tinha como patamar os valores recebidos pelos servidores em maio de 95. Era composta por um índice de 32% – divididos em 25% a partir de maio de 2000 e 7% no segundo semestre em salários de maio, prevendo-se ainda um gatilho toda vez que a inflação acumulasse 5%. Naquele momento, o Fórum optou por protocolar apenas a pauta de reivindicações econômicas deixando para negociação posterior a discussão de outros itens. No dia 05 de abril, quando a pauta foi protocolada, um grande Ato Público marcou o início das mobilizações em torno da campanha salarial de 2000. Com a insatisfação, construída por anos de arrocho, se fazendo abertamente presente, tudo indicava que esta data-base já não seria igual às dos outros anos.

Com isso, os reitores, demonstrando ainda uma certa sensibilidade, propuseram a antecipação da data-base de maio para abril, agendando reuniões com o Fórum para os dias 13 e 19/4/2000, *através de documento de 03/4/2000,* no qual salientavam que adotavam "como princípios para negociação o espírito de franqueza e o respeito mútuo, devendo ser entendida como sujeita a aprimoramento contínuo".

A primeira reunião de negociação do dia 13/4 foi marcada para acontecer na Secretaria da Ciência e Tecnologia. Infelizmente aquela reunião não ocorreu, devido à truculenta intervenção da polícia e da tropa de choque, até mesmo com a prisão de alguns manifestantes. O CRUESP a tudo assistiu de camarote, após o que finalmente divulgou o seu *Comunicado 01,* que, claramente, havia sido redigido antecipadamente. A concessão original do CRUESP falava em 7% em abril acrescidos de uma certa "valorização em pecúnia a ser definida por cada uma das três Universidades" *(adeus à isonomia?)* e que só haveria nova reunião com o Fórum das Seis "não antes de novembro do corrente ano".

A partir deste *Comunicado 01,* ficaria claro que o CRUESP abandonaria, de forma unilateral e sem qualquer aviso, a metodologia das planilhas chamadas "em fluxo de caixa", adotada por anos a fio de "negociações" com o Fórum, pois estas lhe estavam sendo claramente *desfavoráveis naquele momento* – o comprometimento acumulado dos primeiros meses escancarava o que o Fórum proclamava e que todo mundo já sabia – pois havia muito espaço para um reajuste decente na data-base. Ao invés disso, o CRUESP passou a insistir em argumentos baseados em "orçamento" alegando vinculação, digamos, administrativa às deliberações orçamentárias dos respectivos Conselhos Universitários. Lembramos que os "orçamentos" das três Universidades são construídos de trás para frente, a partir das previsões de repasse às três Universidades pelo Tesouro do Estado, tradicionalmente conservadoras.

No *Comunicado 02,* após as paralisações de docentes e funcionários dos dias 5, 13 e 19/4 e sob a ameaça de deflagração de greve, o CRUESP, além de voltar a garantir a isonomia, embora ainda *relativa,* entre as três Universidades, encontrou recursos para um adicional em forma de abono de 28% em salários de março (que *equivocadamente* considerava equivalente a um reajuste de 3%) – mas, sem falar ainda em datas ou comissão, esqueceu-se de que tinha sugerido anteriormente uma nova reunião somente em novembro!

No seu *Comunicado 03,* ao verificar que a greve – deflagrada em 26/04 – recrudescia e diante do clamor institucional das três Universidades e do CEETPS, o CRUESP foi um pouco mais além, ao criar uma "Comissão Técnica de Acompanhamento dos recursos transferidos às Universidades pelo Tesouro do Estado". Segundo as palavras caracteristicamente cheias de ambigüidade do CRUESP, a Comissão, "a partir de julho, *poderia* reunir-se *mensalmente* para *sugerir* ao CRUESP novos *avanços salariais* quando o ICMS previsto pelo Orçamento do Estado for superado de forma substantiva" pelas chamadas "Diferenças de Arrecadação" (ou seja, segundo o CRUESP, quando o ICMS arrecadado excedesse em 69 milhões de reais a projeção oficial do Governo Estadual) *(o grifo é nosso)*. Além disso, concedeu a incorporação *definitiva* aos salários dos 3,75% correspondentes ao abono de abril, a partir de janeiro de 2001.

O Fórum das Seis, demonstrando flexibilidade e maturidade política, apresentou em 23/5 a sua contraproposta, cujas bases consistiam em um reajuste total de 20% na data-base, outro em agosto e mais um em novembro de 2000, baseados no crescimento nominal da arrecadação do ICMS e da massa salarial individual em relação ao período correspondente ao ano anterior, bem como em um mecanismo de preservação do poder aquisitivo dos salários até abril de 2001.

A greve nas três Universidades e CEETPS se mantinha forte e crescente. Diante disso, o CRUESP, no seu *Comunicado 04*, acabou por prometer a concessão de mais 4,25% em salários de março (ou 3,97% em salários de maio), bem entendido, se a greve cessasse. Entretanto, tornou a incorporação dos 3,75% *a partir de janeiro de 2001,* não mais um fato concreto, mas uma "absoluta prioridade" na elaboração dos orçamentos para 2001!

O CRUESP, no *Comunicado 04,* reafirmou que sua mal-definida política salarial consistia na criação de "comissão conjunta para acompanhamento da arrecadação do ICMS e de sua destinação"; "aplicação majoritária das diferenças de arrecadação para salários"; "recomposição salarial ao longo do período maio/ 2000 a abril/2001, com fundamento na arrecadação realizada", enquanto se recusava terminantemente a discutir a proposta concreta do Fórum.

Acrescente-se que, no mesmo *Comunicado 04,* os reitores reafirmaram sua subordinação às "diretrizes orçamentárias aprovadas pelos Conselhos Universitários", incluindo-se aí as "obrigações previdenciárias", precatórios e contratações de servidores para "preenchimento de claros", ao mesmo tempo em que mantinham a isonomia entre as três Universidades.

Chegava o CRUESP, mais uma vez, ao "teto das possibilidades existentes", ameaçando ainda que a "cessação da greve" constituía "pré-condição" para que a referida proposta fosse implementada.

Mesmo com ameaças, o movimento de greve reavaliou que poderia continuar a se fortalecer, principalmente diante da divulgação da arrecadação do ICMS em maio, cerca de 170 milhões além das previsões do Tesouro do Estado, acima até mesmo do previsto pelo Fórum das Seis, número anteriormente considerado *irresponsável* pelo CRUESP. Surge então o *Comunicado 05,* em que os Reitores propõem um "acordo" com o Fórum de forma unilateral visando "a volta da normalidade das atividades universitárias".

Os termos do "acordo" se baseavam, segundo eles, em manifestações dos Diretores das três Universidades e em indicações dos Conselhos Universitários da UNESP e da USP, revelando, com isso, que a demanda para que o CRUESP negociasse uma política salarial com o Fórum das Seis era proveniente de toda a comunidade acadêmica e não apenas das entidades sindicais.[9]

Naquele *Comunicado,* os reitores retomaram a incorporação dos 3,75% a partir de janeiro de 2001. Consideraram como previsão de arrecadação a proposta inicial do Fórum de 20,6 bilhões/ano, abandonando a previsão inicial de 19 bilhões/ano. Deve-se lembrar de que foi com base nesta previsão inicial que os reitores justificaram a impossibilidade de dar um reajuste maior que os 7%.

---

[9] Nas três universidades, um setor da comunidade acadêmica – o dos~~os~~ diretores – manifestou-se de modo dissonante com a greve. Na UNESP, a participação de um autoproclamado existe Conselho de Diretores (o CONDUNESP) foi mais explícita e sistemática, gerando conflitos e polêmicas com o movimento grevista. A reunião do Conselho Universitário da UNESP – do qual os Diretores de Unidades são membros natos – de 30/05, por exemplo, acabou por aprovar propostas apresentadas pelo CONDUNESP, que, naquele momento, estavam mais próximas dauqelas do CRUESP do que das do Fórum, gerando forte reação da comunidade universitária em greve.

Os reitores afirmaram que "o reajuste de fato do ano 2000" ficou sendo de 15% (incluindo-se o abono), claramente como uma salvaguarda para não ter que dar *nada mais de aumento* neste ano. Surgiu então o CRUESP com uma novidade: a Comissão Conjunta de Acompanhamento de Arrecadação (composta de doze membros, dos quais seis pelos Reitores e seis pelas entidades sindicais) deveria "avaliar as diferenças de arrecadação em relação ao orçamento inicial, sendo que *no mínimo 80%* deverão ser canalizados para *gastos com pessoal" (grifo nosso)*. Gastos *com pessoal* podem significar quaisquer despesas com recursos humanos, incluindo-se novas contratações! Como ficariam então os "excedentes de arrecadação" e a "parcela majoritária para salários" dos comunicados anteriores? E a tal Comissão, diante do excesso de arrecadação do ICMS, proporia medidas ao CRUESP que discricionária e magnanimamente as implementaria?

Da análise do processo e dos *Comunicados*, percebe-se que o CRUESP voltou várias vezes atrás em relação ao que escrevera anteriormente. Além disso, ignorou as reivindicações da comunidade, representadas pelo Fórum das Seis, evitou a negociação e se esquivou de discutir concretamente as propostas apresentadas, escondendo-se convenientemente atrás de uma pretensa vinculação às deliberações de órgãos colegiados que mal sabiam o que significa o orçamento das Universidades e sua relação com o repasse de recursos provenientes da arrecadação do ICMS. Nesse sentido, o CRUESP tem agido errática e irresponsavelmente, de maneira pouco adequada aos cargos que os reitores ocupam, contradizendo as primeiras posturas que tiveram no início das negociações, quando falavam em se adotar como princípios "o espírito de franqueza e respeito mútuo".

Enfim, se o resultado definitivo proveniente das negociações estabeleceu o índice de reajuste para a data-base em 11,25% e 3,75% sob forma de abono, a incorporação deste último em janeiro de 2001 e uma fórmula para reajuste salarial em outubro, na ordem de 2% a 4% com um possível fundo residual para 2001, dependendo do comportamento da arrecadação do ICMS, devem-se todas estas conquistas aos esforços do movimento e não ao que se deveria esperar de um cuidadoso planejamento da Universidade no sentido de valorização de seus recursos humanos.

No campo econômico, o movimento fez com que o CRUESP ao menos convocasse o Fórum para "negociar" *por cinco vezes* e acabasse finalmente concordando com uma política salarial que repassasse "excedentes de arrecadação do ICMS" para salários. Muito embora a experiência tenha demonstrado a baixa confiabilidade nas palavras do CRUESP, existe hoje na comunidade uma consciência que poderá, finalmente, não apenas garantir a existência concreta de uma Comissão tão insistentemente anunciada, porém jamais implementada pelo CRUESP,[10] como ainda exigir resultados que realmente recomponham em bases contínuas o poder aquisitivo dos salários.

Nos meses subseqüentes à greve, ou seja, desde abril, a arrecadação do ICMS confirmou as previsões do Fórum, de um aporte de recursos muito acima do estimado pelos orçamentos das universidades. Isso significou um aumento real assegurado de recursos para custeio e investimento, embora sem a transparência necessária e desejada pela comunidade universitária.

Embora no que se refere a salários estejamos limitados, por ora, às indicações da Comissão Conjunta para Acompanhamento da Arrecadação do ICMS e de sua Destinação,[11] que teve sua primeira reunião em 07/08, ou seja bem distantes de um Orçamento Participativo, deve-se ressaltar que a constituição dessa Comissão e a definição de uma política salarial são, sem dúvida, vitórias da greve.[12]

---

[10] A greve de 1994 teve como uma de suas conquistas a constituição de uma Comissão conjunta Fórum das Seis/CRUESP, com atribuições semelhantes à proposta, que infelizmente nunca se reuniu.

[11] A Comissão era composta, inicialmente, por doze membros. Depois de muita discussão foi alterada para 14 membros, para garantir a participação de todos os sindicatos que compõem o Fórum.

[12] O CRUESP, através do Comunicado 07, do dia 12/09/2000, informou que, tendo em vista a arrecadação do ICMS para os meses de julho, agosto e setembro, o reajuste salarial de outubro será da ordem de 4,5%. Porém, o crescimento do ICMS garantiu um reajuste ainda maior, sendo ele de 6,7%.

Ganhos da greve

A participação da comunidade universitária na greve trouxe ganhos surpreendentes, principalmente em razão da participação conjunta de seus três segmentos: docentes, funcionários e alunos. Estiveram juntos em Assembléias, Atos Públicos, Vigílias, Seminários e até mesmo em reuniões históricas dos Comandos de Greve e das Comissões de Ética, unificando, na prática, a luta e a dinâmica de cada segmento. Quase todas as atividades contaram com a presença maciça dos alunos, que perceberam a greve não apenas como instrumento de luta por melhoria de salários, mas ainda como meio de defesa de uma universidade pública de qualidade. Nesse sentido, elaboraram uma pauta de reivindicações, que será posteriormente discutida e negociada com os reitores.

Os três segmentos conseguiram, ainda, viabilizar sessões extraordinárias dos Conselhos Universitários. Foi extremamente positivo todo o esforço da comunidade para que os órgãos máximos de deliberação discutissem as reivindicações dos docentes, funcionários e estudantes e buscassem se posicionar a respeito.

A importância da greve pôde ser constatada, também, por meio da cobertura da mídia, caracterizada não apenas pela quantidade de inserções, mas principalmente pela qualidade do debate que se desenvolveu em torno da greve. Por diversas vezes os editoriais dos jornais *Folha de São Paulo* e *Estado de São Paulo* assumiram a defesa das universidades públicas e a importância que têm na produção de ciência e tecnologia, bem como seu papel estratégico na formulação de um projeto de desenvolvimento auto-sustentável para o país. Diversos intelectuais de renome nacional foram chamados a se manifestarem sobre o papel e o lugar da universidade pública, de tal modo que, por meio de seus artigos, a opinião pública pôde constatar que o desmonte em curso trará perdas irrecuperáveis para a sociedade brasileira e, dessa forma, a levou, abertamente, a apoiar a greve das universidades e do CEETPS.

Outro ponto que reforçou a relevância desse movimento foi o surgimento de outras greves do funcionalismo público, em nível federal e estadual, com a realização de grandes manifestações contra a política de desmonte dos serviços públicos implementada pelos governos no Brasil. A resposta destes foi dada pela *liberação* de toda a truculência das tropas de choque na repressão às manifestações de rua, colocando em evidência a verdadeira face de uma suposta democracia, cuja política reguladora das relações sociais está calcada na liberdade de mercado.

Dessa forma, por força das circunstâncias e da realidade, as reivindicações econômicas se politizaram. Ganharam uma dimensão nova de luta pelo resgate da dignidade dos servidores públicos, em particular dos educadores. Estes passaram a contar com o apoio do resto da sociedade, já suficientemente atingida pelos prejuízos resultantes dos processos de privatização. Essa luta conjunta com a população resultou na construção de Fóruns Municipais em Defesa dos Serviços Públicos em várias cidades do Estado, recuperando, assim, a perspectiva concreta do exercício da cidadania.

Os saldos organizativos podem ser contabilizados como os mais expressivos deste movimento, denotados pela retomada da organização sindical nas diversas unidades da UNESP, UNICAMP, USP e CEETPS, espalhadas por todo o Estado de São Paulo, nas quais professores, alunos e funcionários estavam há muito tempo sem expressão política coletiva estruturada. Essas unidades não apenas entraram em greve, mas a mantiveram por um longo período, participando ativa e coletivamente das reuniões e atividades agendadas pelo movimento grevista. Na USP, por exemplo, passou-se a se organizar, pelas entidades dos três segmentos, o 4° Congresso da USP, que tem como um dos objetivos principais discutir a democratização do poder, devendo certamente influenciar o processo de sucessão do reitor.

Cabe aqui um destaque a dois fatos de extrema importância que aconteceram em momentos de grande tensão, influenciando o rumo do movimento grevista: (1) os desdobramentos do confisco dos salários de docentes e funcionários da USP e das contribuições sindicais da ADUSP e SINTUSP, feito pela reitoria da USP; e (2) a formação da Comissão de Intermediação da Assembléia Legislativa.

O reitor, ao confiscar as contribuições sindicais da ADUSP e do SINTUSP e descontar os dias parados de servidores de forma seletiva e discricionária, teve como resposta a intensificação dos piquetes na porta da reitoria. Naquela ocasião, o reitor da USP chegou a representar perante a mídia o papel de vítima de um suposto estado de sítio em seu próprio gabinete, lá permanecendo por aproximadamente três dias.

A Assembléia da ADUSP indicou, então, a constituição de uma Comissão de intermediação, composta pelos professores, considerados notáveis, Alfredo Bosi, Aziz Ab'Saber, Milton Santos, Gerhard Malnic, Antonio Cândido e Dalmo Dallari. Essa Comissão, muito embora inicialmente desautorizada pelo Reitor da USP, acabou por exercer um papel fundamental de legitimação das reivindicações do movimento.

Na mesma tônica, a Assembléia Legislativa de São Paulo, através do Ato n.º 14, constituiu uma Comissão de Representação com a finalidade de acompanhar as negociações entre o CRUESP e o Fórum das Seis, na tentativa de restabelecer os diálogos e superar o impasse. A Comissão, formada pelos deputados Sidney Beraldo, Rodolfo Costa e Silva, Claury Alves da Silva, Carlos Zarattini, Jamil Murad, Arnaldo Jardim e Cesar Callegari, reuniu-se separadamente com o CRUESP e com o Fórum. Embora não exercesse o papel de intermediação, reconhecia a importância das Universidades Públicas, razão pela qual manifestou seu interesse em acompanhar as negociações para que elas chegassem a bom termo.

Esta imensa confluência de fatores de pressão acabou por levar os reitores a marcar uma nova reunião com o Fórum das Seis para o dia 14/6. Nesta reunião, que se iniciou às 17:30 e durou *cerca de 12 horas*, o CRUESP adotou, como poucas vezes o fez durante a história das negociações com o Fórum das Seis, uma atitude de verdadeira negociação sobre todos os nove itens da pauta levada pelo Fórum, incluindo-se a questão salarial e as retaliações políticas aos servidores em greve, as quais foram rapidamente resolvidas. Durante a madrugada, chegou-se, então, a um acordo sobre uma política salarial e apontaram-se encaminhamentos para todos os itens tratados. Restou à comunidade a grande tarefa de estar atenta ao cumprimento das conquistas da histórica greve.

Conclusão

Por todas as questões apontadas, avaliamos que a greve foi de extrema importância para o conjunto da comunidade acadêmica das três universidades públicas e do CEETPS, que conseguiram reconstruir um movimento de resistência contra a política de desmonte da educação pública brasileira.

Esta greve apresentou pelo menos duas grandes e marcantes vitórias. A primeira no aspecto econômico, com uma significativa recuperação salarial e a definição de uma política salarial.[13]. Esse resultado concreto significa, no Brasil de hoje, uma grande conquista, que, sem dúvida provocará repercussões em outras categorias de trabalhadores, principalmente as de docentes e funcionários das Faculdades estadualizadas de Lorena, Marília e São José do Rio Preto, criando perspectivas de unificação da luta dos trabalhadores do ensino superior público paulista.

A segunda grande vitória é política. Há muito não se obtinha uma forte e articulada participação de docentes, alunos e funcionários. E o que essa participação resgatou? A efetiva construção do coletivo, conseguindo colocar em pauta na sociedade a importância da universidade pública e os riscos que corre hoje. Essa vitória é mais que material. Ela é ganho real na consciência coletiva, produzindo ações e reflexões, durante esse período de greve, que ainda darão muitos frutos, contrapondo-se, na prática, ao projeto neoliberal de destruição dos serviços públicos.

Em várias cidades houve uma aproximação dos diversos sindicatos de trabalhadores dos serviços públicos (federal, estadual

---

[13] O reajuste salarial acumulado desde o início da campanha salarial de 2000 até janeiro de 2001 atingiu o índice de 24,52%. O reajuste previsto para janeiro de 2001 (incorporação do abono de 3,75% do salário de março/2000) foi de 4,9% sobre o salário atual. Esse ganho deve-se à utilização total do saldo do Fundo de Reserva Salarial, proposto pelo Fórum das Seis Entidades.

e municipal), criando embriões de Fóruns em defesa dos serviços públicos, envolvendo outros sindicatos e comunidades locais. Isso mostra como a política neoliberal está se desgastando rapidamente junto à sociedade e como ainda é possível, se lutarmos de forma organizada, sonhar com um mundo melhor. De fato, essa greve nos pertence e pertence à História. Ninguém será mais o mesmo depois dela.

A REPÚBLICA DA MENTIRA: CONSIDERAÇÕES SOBRE A "PRÁTICA POLÍTICA" DO GOVERNO FHC[1]

Franklin Leopoldo e SILVA[2]

A inquietação não é social e sim política, e se deve ao fato de ser este um ano eleitoral: foi o que declarou FHC em entrevista à *Folha de S.Paulo*, de 21/5/2000. Traduzindo e explicitando: todos os movimentos reivindicatórios têm pois apenas a função de corroborar as críticas eventualmente feitas ao governo pelos candidatos e pelos partidos de oposição. As greves e outras manifestações de insatisfação fazem parte de uma campanha política que tem a finalidade imediata de comover a opinião pública e, desviando os eleitores do bom-senso e da reta razão, venha a carrear votos contra o governo, o que só pode ser conseguido pela via do histerismo, uma vez que não haveria como negar racionalmente a competência técnica e a sensibilidade social do governo e de seus aliados. Este diagnóstico feito pelo Presidente da República, ao referir-se às manifestações públicas e à repressão policial, é bastante revelador do que FHC parece entender atualmente por *política*, mas de forma alguma honra a sua formação de cientista social.

No entanto, sua opinião é perfeitamente explicável. Que tipo de *política* tem ele feito desde que assumiu o cargo? Teria sido por acaso algo que superasse, ainda que minimamente, as alianças ocasionais destituídas de qualquer critério ideológico, as permutas ilimitadas com quaisquer grupos, orientadas apenas pela finalidade imediata da obtenção de apoio e de votos, com a conseqüente submissão dos interesses do País às exigências dos grupos

---

[1] Este artigo foi escrito logo após a manifestação dos estudantes, servidores públicos federais e estaduais na Av. Paulista, no dia 18 de maio de 2000, na qual foram violentamente agredidos pela polícia.

[2] Faculdade de Filosofia, Letras e Ciências Humanas da USP – SP.

economicamente hegemônicos e de seus prepostos no executivo e no legislativo? É possível citar um só impasse legislativo que o governo não tivesse tentado resolver por via do mais aberto fisiologismo? Alguém poderia, em sã consciência, afirmar que no Congresso Nacional alguma questão é resolvida através do debate de idéias e da busca da preservação dos interesses do povo? É possível lembrar alguma referência à sociedade, por parte de FHC, de seus ministros e de seus porta-vozes, que não fosse uma eloqüente manifestação da retórica do cinismo?

Não surpreende, pois, que para o presidente a política seja definida nos termos de um estrito oportunismo eleitoreiro, pois é esse tipo de "atividade política" que tem caracterizado o seu comportamento. Ele tenta, portanto, passar para a população a idéia de que movimentos sociais, quando não são obra de criminosos obstinados e reincidentes, como no caso do MST, são mera propaganda política, com o intuito de mostrar à população um quadro mentiroso das políticas públicas implementadas no setor social e que tende a deformar o enorme empenho do governo no aprimoramento dos serviços públicos principalmente nas áreas de saúde e educação. Mas não basta a contrapropaganda governamental, porque os agitadores trabalham com o possível impacto de grandes manifestações. É preciso, então, reprimir, não a expressão da discordância em si mesma, mas o excesso que ela por definição traz. O que estaria sendo reprimido não seria um verdadeiro movimento político-social, mas a manifestação exacerbada de pequenos interesses eleitorais e corporativos. Prova disso é que quem se manifesta são os funcionários públicos, essa praga que o governo vem tentando extirpar.

Não havendo portanto verdadeiro conteúdo político-social nessas manifestações, podem elas ser reduzidas a problema de trânsito: secundado pela grande imprensa, o governo estadual de São Paulo justifica a repressão da passeata na Av. Paulista dizendo que a polícia, ao desejar unicamente desobstruir o trânsito para não causar transtornos à população ordeira, teria se deparado com a teimosia dos manifestantes, o que ocasionou o confronto, originado então apenas pelos *excessos* dos manifestantes. Tais excessos, por sua vez, derivam do inconformismo das pessoas perante a concepção *técnica* que as autoridades têm de manifestação pública. Atos públicos, no sentido técnico, são aqueles organizados *onde, quando e como* o governo deseja. Fora disso é baderna. Não há sentido em recusar as normas técnicas de manifestação porque, já que os atos não possuem nenhum sentido político-social, a única coisa que resta é a organização técnica, sob a tutela da autoridade e a supervisão da polícia. Ninguém está impedido de expressar a sua opinião, desde que o faça de acordo com a definição de expressão pública dada pela autoridade. Só se pode *divergir* se o modo de fazê-lo estiver *em acordo* com o que pensam da divergência aqueles dos quais se está discordando. A essa concepção autoritária do que seja democracia se associa a chamada manutenção da ordem pública, de que o governo não pode abrir mão. A livre expressão só é legítima quando os detentores do poder determinam as formas e limites dessa *livre-expressão*. O argumento seria cômico se o que se esconde por trás dele não fosse sinistro.

Todos sabem que se tornou um hábito em FHC desqualificar qualquer oposição. Os que divergem dele são sempre burros ou mal intencionados. Não se deve creditar tal atitude apenas a uma personalidade autoritária. Na medida em que a desqualificação do oponente se apresenta como conduta política, isso significa que a única discussão política cabível é no máximo a dos meios de implementação das decisões do governo, e nunca pode abranger as próprias decisões. A justificativa dessa postura é dada pela suposta qualidade técnica das decisões, o que se acha exemplarmente ilustrado nos pronunciamentos da equipe econômica, sobretudo nas falas do ministro Pedro Malan. Os que questionam as decisões do governo o fazem sempre por incompetência ou desconhecimento de todos os dados da situação, pois tais decisões seriam sempre tomadas após análise objetiva e representariam sempre a solução *científica* para a questão em pauta, seja a ajuda a bancos, a privatização de determinada empresa pública ou a fixação do salário mínimo. Há sempre uma demonstração exata de que a opção do governo é a única compatível com a visão objetiva do problema. E isso diz respeito tanto às decisões político-administrativas que são particularmente tomadas quanto ao contexto em que se inserem, o qual é visto como dado naturalmente indiscutível – caso da globalização. O que se pretende com isso é projetar um consenso estabelecido objetivamente e que não estaria portanto sujeito a discussões políticas. Daí a impermeabilidade do governo no que concerne à discussão de prioridades sociais como possíveis parâmetros de política econômica. Na verdade, a expressão *política econômica* praticamente perde o sentido, pois os rumos econômicos não são objeto de discussão política mas de formas de gestão, cuja objetividade e racionalidade nunca entram em jogo.

Ora, num contexto como esse, o governo não pode aceitar que haja sentido em qualquer reivindicação de caráter social, especialmente no que diz respeito a salários. Se a fixação de salário representa um resultado científico, como questioná-lo? Se pessoas vão viver com esse salário e se a importância *objetivamente* estabelecida é insuficiente para que possam subsistir, é algo secundário e que não entra no conjunto das variáveis consideradas. Levantar tais argumentos é *demagogia*. No jogo dos números e das exigências dos organismos internacionais, o pagamento dos juros da dívida será sempre um fator tecnicamente superior ao salário do trabalhador e aos investimentos sociais. Só pensam diferentemente aqueles que não estão vinculados às responsabilidades técnicas de governo, e que portanto não merecem ser ouvidos. Essa exclusão dos tecnicamente inabilitados abrange todos os assalariados e dependentes de serviços públicos – o que esvazia *a priori* de sentido qualquer reivindicação. A partir daí fica desqualificado qualquer movimento social, porque a própria esfera política em que se originaria a sua legitimidade foi decretada inexistente pela tecnocracia governamental. A contraprova disso é que, quando um grupo corporativamente poderoso e *seleto* pressiona o governo, como no caso dos juízes, a solução do reajuste é considerada tecnicamente viável porque, atingindo um grupo relativamente pequeno, não causaria impacto orçamentário. No mundo da gestão tecnocrática da economia não existem pessoas, mas apenas números. Como num universo abstrato não existem relações políticas, é natural que um governo dominado pela tecnocracia não se relacione politicamente com os governados. A relação política reduz-se então às técnicas de manipulação da informação para que as pessoas venham a se persuadir de que a atitude consensual é a única razoável. Isso é coerente: o tecnocrata lida com pessoas como se fossem coisas; não considera que existam cidadãos ou sujeitos políticos.

É nessa destituição da cidadania que se insinua o que acima chamamos de sinistro. Quando a cidadania política insiste em se manifestar, ela só pode ser tratada como transgressão. E se as pessoas se organizam para reivindicar concretamente os direitos (trabalho, saúde, educação), transformam-se em criminosas. Para um governo totalitário, qualquer ação que venha a tentar o restabelecimento de um espaço público de discussão e reivindicação passa a ser considerada um crime. Por isto o movimento social é visto como baderna e o ativista social como um fora da lei. Opera-se uma inversão: em vez de a lei proteger a cidadania, ela só protege aquele que renuncia na prática aos direitos de cidadão. Só está dentro da ordem aquele que adere ao consenso: aplaude ou silencia. Nesse sentido, a criminalização do Movimento dos Trabalhadores Sem-Terra deve ser vista como uma ameaça que pesa sobre todos e não apenas como uma medida tomada em relação aos sem-terra. O princípio que está implícito no procedimento do governo é de alcance geral: nada impede que ele venha a ser aplicado a movimentos que ocorram entre profissionais da saúde, professores ou qualquer outra esfera do trabalho assalariado. Nada impede que ele venha a ser aplicado a qualquer reivindicação de caráter social: manifestar-se quanto à precariedade dos serviços de saúde, educação ou transporte pode ser considerado um crime.

Na época da ditadura, os governos militares se esforçavam para passar à população a idéia de que os que agiam contra o governo eram criminosos comuns e não ativistas políticos. Procurava-se mostrar que essas pessoas que se opunham ativamente ao regime político roubavam e matavam da mesma maneira que os ladrões e assassinos. Espalhavam-se cartazes com as fotos dessas pessoas, incutindo na população a idéia de que, se as denunciassem, estariam auxiliando a polícia a prender bandidos e não opositores políticos. Este procedimento foi exatamente reproduzido na edição da revista

Veja em que os sem-terra são mostrados como bandidos, capazes de todos os crimes e que a última coisa que realmente desejam é terra para trabalhar. O conluio entre a revista Veja e o governo é tanto mais imoral quanto a revista não pode fugir à responsabilidade alegando pressão e ameaça do governo, como nos tempos da ditadura. O procedimento, de índole fascista, foi fruto de um acordo que a revista estabeleceu livremente com um governo que se preocupa cada vez menos em disfarçar seu vezo totalitário. Bastante ilustrativo dessa postura é o fato de o sr. Andrea Matarazzo ter achado perfeitamente natural a proibição da transmissão da entrevista de Pedro Stedille pela TV. Mais importante do que atentar para episódios pontuais é analisar o que representam tendencialmente e aquilo para que apontam. Os procedimentos do governo FHC e de Mario Covas reproduzem as práticas da ditadura tanto no que se refere às ações concretas de repressão quanto na tática de manipulação da opinião pública. Como nada indica que a situação social se modificará para melhor, devemos esperar uma intensificação da repressão aos movimentos populares, e isso ocorrerá tanto diretamente, pela ação da polícia, pelas punições de trabalhadores etc., quanto por via de uma campanha muito bem articulada de desmoralização dos movimentos sociais, à qual a mídia já está se prestando de forma muito efetiva. O governo joga tudo na despolitização do país, que vem sendo promovida com afinco desde o início do primeiro mandato de FHC. A quebra do espaço público, o enfraquecimento das instituições em que a discussão política tradicionalmente se exerceu, como as universidades públicas e os sindicatos, a inércia da sociedade civil, a pouca efetividade das oposições, a pressão e a cooptação exercidas intensivamente, tudo isso atua como forças contrárias à reorganização da cidadania. E tudo isso faz com que a palavra *política*, quando significa as ações pelas quais a sociedade se mobiliza para discutir a realidade social e reivindicar direitos, apareça com carga negativa. O significado positivo seria aquele propriamente *brasiliense*: lobby, permuta de favores, tergiversação, simulacro de diálogo, desqualificação do opositor, maquinações e maquiagens de vários tipos. Por isso, quando algum grupo social toma consciência dos seus direitos e passa a pensar as suas reivindicações num contexto mais amplo que tem como horizonte uma profunda modificação ou mesmo uma transformação completa das estruturas sociais, as vozes do *establishment* logo acusam: está havendo *politização*, o que no caso significa: há um desvio na linha de conduta que faz com que as pessoas, em vez de esperarem que o que lhes é devido lhes seja concedido como favor do estado, passam a exigir pura e simplesmente o atendimento dos seus direitos. Recusam, portanto, a idéia de que o estado é que estabelece as condições, as ocasiões e os limites do reconhecimento dos direitos, de acordo com conveniências conjunturais.

É este esforço de despolitização dos movimentos sociais que leva à trivialização da própria idéia de direito. Daí deriva a eloqüência com que o Secretário da Segurança e o Governador proclamam que os grevistas em manifestação estariam cerceando o direito das outras pessoas a transitarem pela rua; nesta mesma linha o ministro da cultura pôde dizer que os sem-terra deveriam ser educados para entenderem que não têm o direito de cuspir no chão em edifícios do governo. Tornou-se lugar-comum, em todas as greves, a denúncia de que os grevistas pressionam os demais trabalhadores, tolhendo-lhes o direito ao trabalho, etc. Quando alunos ocupam uma escola ou sem-terra ocupam uma repartição pública, o governo se apressa em denunciar que os cidadãos ordeiros estão cerceados nos seus direitos de usufruírem da perfeição dos serviços que ali cotidianamente seriam prestados. Tudo isso para mostrar que a arbitrariedade, a violência e a violação de direitos são sempre praticados pelos que reivindicam, nunca por aqueles que se recusam sequer a ouvir as reivindicações. Como todos em princípio têm direitos iguais, quando uma manifestação dificulta o trânsito ela está tolhendo o direito dos motoristas à passagem; mas a recusa, por parte do governo, a reajustar salários não é desrespeito de direitos; é apenas a conseqüência de uma avaliação objetiva das possibilidades orçamentárias. Num caso, não há base concreta para a reivindicação, caso em que se diz que ela é *política*, o que quer dizer desprovida de fundamento objetivo. No outro não se trata de política, mas sim de decisão responsável respaldada em *objetividade técnica*. Como "politização" significa então o estratagema pelo qual se faz passar por válido aquilo que não tem validade, todo movimento social que se "politiza" passa a estar alicerçado na ficção ou na mentira. Uma avaliação objetiva restabeleceria a verdade. Foi com base em tal tipo de avaliação objetiva que o ministro Malan pôde declarar que o salário mínimo aprovado não apenas permite às pessoas que se mantenham durante um mês mas ainda enseja a sobra de R$20,00 para a poupança. Os que negam essa verdade cristalina não argumentam, mas politizam, isto é, trapaceiam. Ora, da politização como trapaça é possível passar facilmente à politização como transgressão e como crime. A conclusão é que todo cidadão politizado, isto é, consciente dos seus direitos e disposto a lutar por eles, é um criminoso em potencial.

Fica assim, portanto, clara qual deve ser a maneira de tratar os movimentos político-sociais: são casos de polícia. Entende-se porque o Secretário da Segurança de São Paulo elogiou a ação da tropa de choque contra os manifestantes da Av. Paulista e declarou que a polícia agirá da mesma forma sempre que houver manifestações desse tipo. Vê-se assim que há uma coerência perfeita entre a declaração de FHC e a ação das autoridades estaduais, coerência aliás que já se mostrara no caso da repressão aos índios e aos manifestantes na Bahia. Essa linha vertical de continuidade pela qual o discurso autoritário do Presidente serve de paradigma para as ações autoritárias nos outros escalões de poder está sendo seguida cada vez com mais clareza. No episódio da proibição da entrevista com Stédille, o Secretário de Comunicações não achou necessário consultar o Presidente, no que estava certo: seria bem incoerente se FHC, por qualquer escrúpulo ou laivo de prudência, tentasse dissuadi-lo da proibição. Assim também, o Secretário da Segurança, a Secretária da Educação, os Reitores das Universidades estaduais paulistas, todos tratam de imitar o mais fielmente possível o modelo do autoritarismo presidencial: sabem que o prestígio de que podem vir a desfrutar nas escalas mais altas de poder depende dessa demonstração de subserviência, tanto mais valorizada quanto mais espontânea. E isso não se deve a algum tipo de fascínio exercido pela personalidade de FHC; os que o imitam não seguem um líder carismático, simplesmente se adaptam a um certo estilo de exercício do poder, que se caracteriza por um viés totalitário e por uma afirmação autoritária, predicados que, num governo de perfil predominantemente tecnocrático, atuam como substitutivos da legitimidade política.

Pode-se perguntar o que tudo isso tem a ver com democracia. É claro que nenhum governante pratica plenamente, depois de eleito, a democracia que prometeu como candidato. Mas no caso do governo FHC há mais do que isso. Apesar de ter sido eleito diretamente pelo voto popular, seus compromissos não coincidem com aspirações verdadeiramente populares, pois o contexto da economia globalizada exige que atenda a interesses muito mais vinculados ao capital internacional do que ao desenvolvimento do país. Isso exige um gerenciamento técnico das ações governamentais, monitoradas pelos organismos internacionais, que faz com que a equipe de governo seja apenas executora e não autora das decisões. Para um técnico esta é uma situação normal, visto que ele é um executivo, mas para um político o fato deveria constituir uma aberração, uma vez que desvincula a esfera política da soberania. Essa é a razão pela qual os governos que se dizem "modernos" consideram como uma virtude o esvaziamento político dos procedimentos governamentais, sob o pretexto de que a complexidade do mundo contemporâneo não comporta decisões e condutas que não estejam respaldadas em tecnologias de gestão, o que não deixa lugar para o voluntarismo político de tempos passados. Essa ausência de política redunda numa ausência de democracia nas práticas efetivas de administração da coisa pública. O presidente foi eleito, mas a equipe que ele coordena, nos setores essencialmente vinculados ao capital internacional, não tem qualquer ligação com os eleitores do presidente e nem se vê como obrigada a qualquer tipo de prestação de contas verdadeiramente democrática. Exercem uma responsabilidade técnica que se orienta por parâmetros que se situam bem longe de qualquer relação política com a população. Prestam contas do que fazem em outros níveis. Ora, essa substituição de critérios políticos por razões de ordem tecnoburocrática enfraquece a democracia que deveria pautar o conjunto de práticas de governo. Daí a pouca transparência das decisões e o teor autoritário das medidas que se seguem.

E, no entanto, como não se pode de fato escapar da política, é o próprio vazio político que aparece como opção política. Ou seja, o sacrifício da política não resulta numa assepsia técnica que se manifestaria na neutralidade pura das decisões estritamente objetivas. O vazio político é ocupado pelo embate selvagem dos interesses particulares, num contraste grotesco com a alardeada competência científica que nortearia as decisões econômicas. Como o governo não atua apenas como moderador dessas disputas, mas delas participa ativamente, tendo que se haver com seus ferozes aliados e enfrentar todo tipo de dificuldade para controlar a sanha predatória que grassa nas heterogêneas fileiras que compõem suas legiões de apoio, a dita equipe técnica se vê muitas vezes na contingência de travestir os interesses em jogo de dados objetivos, para dar alguma aparência de seriedade aos acordos pelos quais o governo garante, às vezes de forma bem precária, a sua sustentação. É essa a *prática política* a que o governo está acostumado. Não surpreende, pois, que seus integrantes e seus seguidores recusem o diálogo político autêntico, pois estão despreparados para discutir fora do balcão de negócios.

Essa situação, que na verdade não permite discernir muito bem entre o despreparo político e a "esperteza" como motivação de comportamento, nos leva também a entender melhor o apelo à *democracia formal*, que em muitas declarações e comentários da imprensa chega ao nível da caricatura. *O Estado de S. Paulo*, ao comentar a manifestação da Av. Paulista, enfatizou o fato de que há mais de 150 locais demarcados para eventos da espécie, e a escolha da Av. Paulista portanto caracterizaria muito bem o desrespeito dos manifestantes para com o restante da população. Ou seja, a manifestação, que reivindicaria em princípio democracia e transparência, seria em si mesma antidemocrática, o que revelaria assim a verdadeira índole e os verdadeiros objetivos do movimento, a motivação "inconfessável" que realmente está na base dos reclamos aparentes. Uma manifestação apropriadamente democrática deveria talvez realizar-se sábado à tarde no Sambódromo, que a prefeitura faria a gentileza de liberar para esse fim. Ela daria ensejo a que certa imprensa, que tem muito apreço pelas formalidades democráticas e forte tendência a esquecer o conteúdo, pudesse congratular-se com os atores do evento: o comportamento pacífico e ordeiro dos manifestantes, o comportamento contido e prudente da polícia, que lá estaria apenas a título preventivo, porque em toda festa pode haver os que se excedem e não compreendem o caráter *sadio* da brincadeira. O evento se encerraria com o toque sério, que seria o pronunciamento de algum funcionário graduado do Palácio, demonstrando a impossibilidade de atender às reivindicações, de resto já amplamente contempladas como mostram cálculos dos economistas do governo, e todos voltariam para casa de alma lavada em banho cívico.

Mas se o ônus da responsabilidade cívica recai apenas sobre os ombros do governo, este tem que agir com a severidade que se espera da autoridade: a *tolerância zero*, palavra de ordem que vem sendo muito repetida ultimamente. Trata-se de uma expressão que foi usada pela polícia de Nova York para descrever um projeto integral de combate ao crime. As autoridades brasileiras tomaram a liberdade de acrescentar à lista de homicídios, roubos, furtos, latrocínios, estupros e seqüestros as manifestações por melhores salários e condições de trabalho. Com isso os movimentos sociais ficam associados à violência que assola as grandes metrópoles, a ser enfrentada pela energia dos governos e a eficiência da polícia. Trata-se de um raciocínio interessante: a criminalização das reivindicações sociais torna legítima a repressão; em contrapartida, a descriminalização de fato dos procedimentos de banqueiros desonestos, de políticos corruptos, da bandidagem de colarinho branco, dos responsáveis pelos superfaturamentos torna legítima a tolerância, e a prova disso é que não há nenhum banqueiro preso. Para uns a tolerância zero; para outros a tolerância máxima.

Com isso o governo dá provas de que não se intimida. A *Folha de S. Paulo* de 25/5/00 traz o pronunciamento do presidente da República no qual ele orienta os ministros a "endurecerem" com os grevistas de seus respectivos setores e critica os governadores que estão tratando com leniência os movimentos em seus estados.

143

De passagem, elogia o governador Covas por ser um homem "destemido", o que mostrou ao partir para a briga com um manifestante. Outro raciocínio esdrúxulo. Ninguém nega que precisamos de políticos destemidos porque há muita coisa a enfrentar. A questão é saber se a coragem do governador Covas não seria melhor empregada se ele demonstrasse valentia e firmeza contra os latifundiários, contra os banqueiros, contra os oligarcas e coronéis do PFL, contra os caciques da política fisiológica, etc., em vez de tentar sair no braço contra desempregados. Isso porque, em princípio, brigamos com as pessoas a quem nos opomos e governadores supostamente foram eleitos para defender os interesses do povo e não para exercitar nele os seus punhos. Talvez o PSDB queira mostrar aos coronéis pefelistas do norte e do sul que nas suas fileiras não há somente PhDs em Economia, mas também cabras machos. E assim pelo menos ficamos sabendo que podemos levar na cabeça tanto o moquete do governador quanto os planos do ministro Malan.

A capacidade de produzir argumentos segundo a retórica do cinismo parece ser ilimitada. Ao criticar os movimentos sociais, FHC declarou que toda essa inquietação – política, é preciso lembrar – deve-se na verdade à melhoria dos indicadores sociais, que testemunham o acerto das decisões econômicas que vêm sendo tomadas, além dos reflexos positivos nas áreas sociais. Como, com isso, a oposição vê fugirem os argumentos que poderia contrapor à conduta do governo, uma vez que as alegações pessimistas se dissolvem diante de realidade tão promissora, apela, em desespero, para o radicalismo dos discursos e das ações. Em suma, as pessoas protestam porque o país vai bem, e, portanto, além da violência e do crime, é também uma espécie de lógica do absurdo que orienta os movimentos sociais. As pessoas de boa vontade assistem, perplexas, às denúncias de deterioração dos serviços em educação e saúde, quando é patente que, apesar da febre amarela, da tuberculose, da desnutrição, da mortalidade infantil, do desemprego e do analfabetismo, o Brasil estaria prestes a rivalizar com a Noruega e a Suíça em termos de qualidade de vida. É seguindo essa linha de raciocínio que o governo do estado de São Paulo faz aparecer na

TV, reiteradas vezes, comunicado em que esclarece a população que os profissionais da saúde e da educação, em greve por melhores salários, já tiveram bem mais de cem por cento de aumento nos últimos anos, o que caracteriza, além do empenho do governo na valorização dos serviços públicos, a situação verdadeiramente privilegiada dessas categorias e o aspecto politiqueiro do movimento reivindicatório.

A opção decidida pela prática da mentira, da mistificação e da manipulação das informações com vistas a deformar a opinião pública é sinal claro da concepção vigente no governo de cidadania e direitos. O cidadão não tem direito à informação objetiva e transparente, não deve ouvir as partes em conflito para pesar as razões, não pode ter acesso a dados que lhe permitam julgar com conhecimento de causa. Interessa apenas que as pessoas, bombardeadas por informações parciais e comentários tendenciosos, tenham a consciência obscurecida e possam apenas repetir aquilo que exaustivamente lhes é inoculado como propaganda. As técnicas de transmissão da informação não permitem mais distinguir a informação da publicidade. Como o governo tem nas mãos os meios de informação, como o que caracteriza a grande mídia no Brasil é a cumplicidade com o poder, a informação acaba subordinada à força e não à verdade. Pouco importa que, daqui a algum tempo, algumas verdades apareçam e se sobreponham às deformações. Os objetivos imediatos já terão sido atingidos e a verdade tardia não sobrepujará jamais a força da mentira oportunista. FHC e seus associados não estão preocupados com o julgamento da história. O que lhes interessa é cumprir com eficácia a função de mistificar o presente.

GREVE & DISCURSO[1]

Caio Navarro de TOLEDO[2]

Conjunturas de tensão e lutas sociais são momentos privilegiados para a análise e o conhecimento críticos das convicções políticas e ideológicas dos agentes sociais e políticos. Nestas circunstâncias, o discurso – ao ser cotejado com a prática efetiva dos atores – pode revelar sua consistência, seu valor e seus limites. Neste brevíssimo, esquemático e (talvez) polêmico comentário, tomemos o caso particular dos intelectuais universitários *progressistas* e da grande imprensa, pois estes dois atores, neste momento da greve, dizem-nos muito respeito.

Nas aulas, conferências, artigos e livros, alguns professores afirmam-se democratas radicais, libertários, igualitaristas e, ultimamente, críticos acerbos da *barbárie neoliberal*. No entanto, quando as assembléias de suas associações decretam greve por reajuste salarial, raramente são vistos em debates e ações coletivos. Talvez, não desejando serem identificados com o chamado *baixo clero* (estigmatizado também pela alcunha de *sindicalista*) – que vai à luta e suja as mãos no estafante dia-a-dia da construção do movimento reivindicador –, estes docentes progressistas parecem preferir outros (sutis) cenários de atuação. É certo que o apoio ao movimento não se dá apenas em reuniões e manifestações externas, porém é inegável que gestos (simbólicos e concretos) de solidariedade à greve, por parte desses acadêmicos, sempre são tênues senão inexistentes. (Deixamos de comentar aqui o comportamento *absenteísta* de outra parcela dos acadêmicos: os da *esquerda radical*; estes, que consideram as reivindicações do movimento grevista de

---

[1] Rezam os manuais que, nas democracias políticas, a mídia busca a objetividade, a neutralidade e o pluralismo. Nos momentos das greves e das lutas sociais, no entanto, o belo discurso proclamado pela mídia se desmancha no ar...

[2] Instituto de Filosofia e Ciências Humanas da UNICAMP.

natureza *pequeno-burguesa*, certamente aproveitam o momento para se dedicarem às tarefas mais relevantes para a revolução social... De toda maneira, democratas e radicais de esquerda – incluindo, obviamente, os conservadores e liberais que não movem uma palha pelo movimento –, não abdicarão dos incrementos em suas contas bancárias, caso a greve alcance seus objetivos salariais imediatos!). Talvez possa ser dito que os acadêmicos progressistas buscam refletir sobre a *dialética social* através do princípio metodológico que reivindica uma radical ruptura da teoria com o debate coletivo e o movimento das ruas. Afinal, indagam, poderá haver vida *inteligente* nas assembléias, nas praças e nas ruas ?

Estratégia primeira na atual conjuntura brasileira: *silenciar* sobre os movimentos que reivindicam ou protestam contra a política social do governo. No entanto, quando eles irrompem de forma aberta na cena social, a estratégia seguinte passa a ser a da desqualificação das bandeiras e das propostas de luta desses movimentos. Governo e mídia, na atual conjuntura, são unânimes em estigmatizar : baderneiros, arruaceiros e ... *fascistas*!

Agora, por ocasião da cobertura da "batalha da Avenida Paulista", a grande imprensa, sem nenhuma exceção, responsabilizou a PM e os manifestantes pelos "lamentáveis acontecimentos"! Como afirmou um prestigioso jornal de São Paulo, "há pleitos *justos* (noção abstrata e idealizada, CNT) e há restrições financeiras de *monta* (noção concreta e real, CNT),mas o que não pode haver é a disposição para batalhas campais, *de parte a parte*" (grifos nossos).

Todos que saem às ruas para reivindicar e protestar devem saber que passeata não é procissão, nem é razoável esperar da polícia, no mais democrático regime político do mundo, flores e pombas na mão. Sim, pedras foram atiradas, aqui e ali, contra a tropa; policiais foram atingidos, como repetem e enfatizam os noticiários da TV, rádios e jornais. No entanto, nenhum informativo procurou mostrar que *a desigualdade de forças era incomensurável nesse momento*. Raríssimos foram os jornalistas que lembraram que a PM agiu como nos momentos mais agudos da ditadura militar. A "praça de guerra" foi obra e graça da ação ostensiva da tropa de choques – intimidando, acuando e reprimindo os manifestantes.

No noticiário da noite da TV Cultura, emissora que estatutariamente está sob o controle da "sociedade civil" paulista, a descrição dos acontecimentos em nada se distinguiu das televisões privadas. Pior do que isso: sem que nenhuma liderança das dezenas de movimentos ali presentes fosse ouvida (afirmam os *manuais* que as partes envolvidas num confronto devem ser sempre contempladas numa matéria jornalística), a reportagem concluía com a palavra definitiva e peremptória do Secretário da Segurança do governador Mário Covas: *não houve excesso por parte da PM*. A ameaça seguia-se de imediato: se os manifestantes voltarem à Avenida Paulista – centro financeiro do estado de São Paulo –, as tropas agirão de forma idêntica (ou pior?)!

Os governos democráticos da aliança PSDB-PFL (Paraná, Bahia e São Paulo) mostram a sua verdadeira face. Democracia é boa no discurso; nas ruas, nas praças e nos campos, como já diziam os velhos oligarcas, vale mesmo um bom, longo e vigoroso cassetete. Naqueles tempos, se afirmava que a *"questão social é caso de polícia"*; hoje, o sociólogo-Presidente – Doutor *honoris-causa* em conspícuas universidades de além-mar – exige "tolerância zero" (expressão policial cunhada no império para o combate à criminalidade) diante dos movimentos sociais (*Folha de S.Paulo*, 21/5/2000).

O *discurso* sofre mudanças, para pior; a *prática* continua a mesma de sempre.

CARTA DE ARARAQUARA

Doris Accioly e SILVA[1]

Marilda da SILVA[2]

Roseana Costa LEITE[3]

Os educadores, funcionários e alunos do Campus de Araraquara da Universidade Estadual Paulista Júlio de Mesquita Filho – UNESP, universidade que, ao lado da USP e da UNICAMP, responde diretamente por 50% da produção científica brasileira, têm desenvolvido reflexões, durante o atual movimento grevista, acerca da situação inaceitável em que se encontram as instituições do ensino público em todos os níveis no Estado de São Paulo e no país. Para que seja possível compreender a importância e a pertinência de nossas reivindicações, é necessário historiar as causas fundamentais da crise que atravessa o ensino público.

A destruição planejada e sistemática da rede pública de ensino não é um fato apenas dos dias de hoje, tampouco está isolada de um projeto político que se vem desenhando para a nação brasileira desde a ditadura militar. Naquele momento ela se deu pela repressão direta; dá-se agora de forma sub-reptícia, porém não menos danosa, imposta pela lógica onipresente do mercado. Isso fica claro nas palavras, escritas há onze anos, do saudoso professor Maurício Tragtenberg, na introdução ao livro de Max Weber sobre a universidade:

> [...] Weber coloca em discussão a questão da universidade além dos acanhados limites da reprodução, a universidade como espaço de crítica, sem a qual não há ciência. Se houve instituição que durante o período da ditadura militar sofreu arranhões

---

[1] Faculdade de Ciências e Letras – UNESP – Campus de Araraquara.
[2] Faculdade de Ciências e Letras – UNESP – Campus de Araraquara.
[3] Faculdade de Ciências e Letras – UNESP – Campus de Araraquara.

profundos em sua dignidade acadêmica, foi a universidade brasileira. Quando a razão da força sobrepôs-se à força da razão, inúmeros professores e pesquisadores foram cassados, outro sem-número de docentes sofreu cassações 'brancas'; a avaliação dos currículos dependia de parecer de Assessorias de Segurança e Informação que não constavam dos processos de contratação. Foi quando a delação se constituiu para muitos em estratégias de ascensão universitária. O resultado foi a proliferação de faculdades isoladas pelo país, sem tradição de pesquisa, onde democratização do ensino se converteu em ensino pago. (WEBER, 1989. p. 7)

Os acordos MEC-USAID já explicitavam, na década de sessenta, durante a ditadura militar, a subjugação da política educacional brasileira aos interesses do grande capital, que reserva aos países em desenvolvimento uma inserção subalterna no quadro mundial das relações culturais, econômicas e políticas. Nesse quadro de dominação, aos países como o Brasil cabe o papel de importadores de tecnologia defasada ou obsoleta dos países centrais (vide as usinas nucleares de Angra) e nunca o de produtores de conhecimento, que lhes possibilitem a construção de um projeto autônomo voltado para as necessidades nacionais. Criou-se um consenso, fortalecido pela mídia, acerca da ineficiência do setor público, da excelência do setor privado e da liberdade de mercado. A rigor, não há liberdade de mercado num capitalismo de monopólios, em que a livre concorrência e a livre oportunidade só existem na propaganda ou na realidade restrita de cerca de 1% da população mundial. Esse *consenso fabricado* (Chomsky) precisa fazer crer que o Estado está falido, para justificar os cortes permanentes nos investimentos sociais, que abandonam milhões de pessoas à miséria e à exclusão.

A partir da ditadura militar e no decorrer da redemocratização, a degradação das condições de trabalho no ensino público encontra nas perdas salariais sua expressão mais clara. Tal degradação traduz-se pelo êxodo de professores rumo às instituições privadas, professores que, em sua maioria, foram formados pela mesma universidade pública que hoje se encontra ameaçada por fatores como: as restrições impostas à política de contratação de novos professores, ocasionando problemas de funcionamento e qualidade dos cursos; o corte drástico nos recursos destinados à pesquisa, atingindo a política de bolsas para alunos e docentes; as dificuldades de manutenção da estrutura física e dos recursos indispensáveis ao ensino nas instituições acadêmicas (atualização de bibliotecas, por exemplo). Cabe lembrar que foi através da desvalorização dos salários do ensino fundamental e médio que esses níveis de ensino começaram a ser sucateados nas últimas décadas, causando prejuízos sociais inestimáveis como, por exemplo, o impedimento, imposto a grandes contingentes das classes desprivilegiadas, de um dos únicos canais de ascensão social, numa sociedade desigual como a brasileira, subtraindo à nação a possibilidade de afirmar-se com autonomia no quadro mundial.

Ao longo da década de 90, prossegue o atrelamento das políticas sociais e educacionais às diretrizes dos grandes organismos financeiros internacionais, reafirmando a ordem do *globalitarismo*, conceito criado com muita propriedade pelo professor Milton Santos. A política educacional e os termos a ela agregados – modernização, qualidade e democratização – possuem sentido preciso e exprimem o projeto político que se implementa no Brasil: a proposta de *inserção passiva*[4] do país no processo de internacionalização dos mercados, que prevê os chamados "ajustes estruturais", preconizados por um modelo econômico hegemônico, de corte neoliberal, recomendado pelos organismos financeiros internacionais. O programa de reformas visa implementar a abertura do mercado, a privatização e descentralização do setor público e a desregulamentação do trabalho; busca, ainda, a reforma do Estado rumo a um Estado mínimo e a mudança nos padrões de gestão, segundo as modernas tendências do capital. Sua máxima é a da eficiência e racionalização, entendidas na estrita dimensão da relação custo-benefício. As recomendações do Banco Mundial priorizam apenas o ensino fundamental, abrindo campo, dessa forma, à privatização do ensino médio e do ensino superior. O gasto público em todos os níveis da educação, principalmente em educação

---

[4] A expressão é de Fiori (1995).

superior, segundo o argumento do Banco Mundial, prejudicaria a eqüidade social, pois esse nível de ensino destinar-se-ia a setores privilegiados da população. Contrariando tais argumentos, pesquisas revelam que parcelas crescentes de estudantes, provenientes do ensino público, ingressam nas universidades públicas e não teriam acesso ao ensino superior, se precisassem pagar por ele. O que caracteriza a universidade pública é a indissociabilidade de pesquisa, docência e extensão de serviços; não se pode admitir que apenas o ensino fundamental seja responsabilidade da esfera pública, pois não se consegue a melhoria da educação sem pensá-la como um sistema integrado em seus diversos níveis.

Diante disso, os argumentos utilizados pelos governos estadual e federal, para justificar a destruição paulatina e organizada do ensino público, desmistificam-se, pois é evidente que a questão do financiamento da educação é acima de tudo uma questão política e não econômica, já que não faltaram recursos em grande quantidade aos setores considerados prioritários para a reprodução do capital, principalmente o setor financeiro. Isso pode ser constatado também pelas inúmeras matérias veiculadas pela imprensa nos últimos anos e pelas pesquisas acadêmicas ou de cunho extra-acadêmico. Tais estudos e a própria historiografia crítica produzida sobre o caráter do Estado brasileiro têm desvendado a imensa distância entre este último e a sociedade.

Nesse sentido, a repressão aos sem-terra e aos índios, na festa dos 500 anos, bem como a violência policial contra estudantes, professores e funcionários públicos ocorrida na Avenida Paulista, no dia 18 de maio último, foi a reafirmação da natureza autoritária dos "Donos do Poder", analisada por um de nossos maiores pensadores, Raymundo Faoro. Essa atitude desvela os limites reais da democracia vigente em nosso país e os limites reais do estado de direito, alardeado pelos governos federal e estadual. Quando os movimentos sociais se fazem ouvir, os nossos "mandarins" os desqualificam, acusando-os de corporativistas, arcaicos ou baderneiros; este termo, tão caro à ditadura militar, está novamente sendo desfraldado por nossos governantes e pela mídia a eles atrelada. A seguinte reflexão do mestre Florestan Fernandes, feita em 1964, numa carta dirigida ao Tenente-Coronel que foi detê-lo, é de aguda atualidade:

> Não somos um bando de malfeitores. Nem a ética universitária nos permitiria converter o ensino em fonte de pregação político-partidária. Os que exploram meios ilícitos de enriquecimento e de aumento do poder afastam-se cuidadosa e sabidamente da área do ensino. Em nosso país, o ensino só fornece ônus e pesados encargos, oferecendo escassos atrativos, mesmo para os honestos, quanto mais para os que manipulam a corrupção como um estilo de vida. (O LIVRO NEGRO DA USP, 1979, p. 25-6)

Há que se resistir, portanto, a qualquer forma de totalitarismo, seja ele explícito ou velado.

Os educadores, funcionários e alunos do Campus de Araraquara da UNESP encerram esta carta, lembrando que há valores que não são nem modernos nem arcaicos, mas permanentes. Nem específicos ou localizados, mas universais. A defesa do ensino público como direito coletivo, da justiça social e da dignidade humana são bens infinitos pelos quais sempre valerá a pena lutar.

Araraquara, 24 de maio de 2000

Referências

FIORI, J. L. A governabilidade democrática na nova ordem econômica. *Novos Estudos*, São Paulo, n. 43, CEBRAP, 1995.

O LIVRO negro da USP. São Paulo: Brasiliense, 1919.

WEBER, M. *Sobre a universidade*. São Paulo: Cortez, 1989.

GREVES, CRISES E PODER DE AGENDA NA UNIVERSIDADE

Marco Aurélio NOGUEIRA[1]

Milton LAHUERTA[2]

Greves e Educação Política

Impulsionado pela dinâmica sóciocultural do país, pelas mudanças que têm afetado a organização escolar e pelas opções governamentais feitas ao longo dos últimos anos, o espectro da crise ronda as universidades públicas de São Paulo.

De uns anos para cá, as universidades públicas passaram a viver literalmente sob fogo cruzado. Acossadas pelo mercado, que as ataca por meio do discurso em favor do ensino pago e de uma avassaladora expansão das instituições privadas de ensino superior, também enfrentam problemas com os governos, que não se cansam de pressioná-las e de proclamar a incapacidade gerencial de seus dirigentes. Além do mais, estão sendo comidas por suas próprias bases, insatisfeitas, revoltadas e confusas diante da falta de verbas e equipamentos, dos salários depreciados, da ausência de perspectivas e de orientações substantivas para se combater um quadro que se tem mostrado progressivamente desalentador.

Atacada por todos os lados, a universidade pública encontra-se como que suspensa no ar: ciosa de sua história e de sua importância estratégica, mas com terríveis dificuldades para se pôr diante de um mundo que muda depressa demais e subverte a cultura, os padrões do conhecimento científico e a natureza das instituições. Ou seja, as universidades estão sofrendo as conseqüências do espírito do tempo e se vêem – elas também – imersas numa profunda crise de valores e projetos.

Além de dificultar a gestão mesma das instituições universitárias, esse desvanecimento da idéia de projeto embaralha a

---

[1] Faculdade de Ciências e Letras – UNESP – Campus de Araraquara.
[2] Faculdade de Ciências e Letras – UNESP – Campus de Araraquara.

agenda, instaura o imediatismo e a demagogia, favorece o desrespeito às posições contrárias e prejudica a convivência entre os que integram o complicado universo acadêmico. É como se estivéssemos adentrando numa babélica situação de incomunicabilidade e perdendo algumas importantes referências ético-políticas, fragmentando-nos pela linguagem, pelas especialidades, pelos interesses e pelas idiossincrasias. Uma comunidade sem dimensão comunitária. Trata-se de um cenário que favorece o esvaziamento da dimensão pública da atividade intelectual e nos coloca diante da iminência de uma crise de graves proporções no ambiente universitário, principalmente se se levar em conta que o espírito do tempo trabalha a favor da corrosão institucional, já que se sustenta sobre a idéia de desconstrução do Estado e anuncia o fracasso de todas as instituições públicas.

Compreende-se assim por que a incerteza, a desesperança e a insegurança tenham tomado conta das universidades públicas. Trata-se de um clima que ajuda a quebrar rotinas, lealdades e hierarquias construídas ao longo de décadas, minando as resistências institucionais. Ele produz ceticismo, facilita a burocratização das atividades e alimenta, de tempos em tempos, a disposição grevista, sedimentada sob a idéia de que há poucos recursos para se lutar *dentro das normas procedimentais* vigentes e de que greves e paralisações se mostram como poderosos instrumentos de avanço e conscientização, sobretudo quando feitas por prazos indeterminados e em clima de contestação generalizada.

No entanto, por trazer consigo um cortejo de conseqüências complicadas, o recurso à greve, nas universidades públicas, não é um ato heróico e virtuoso. Nos últimos anos, temos tido paralisações prolongadas e mobilizadoras, mas o quadro não tem melhorado significativamente. Ainda que, a cada movimento, saia-se com a sensação de que se conquistou ao menos um acréscimo de consciência cidadã (e, em alguns casos, um pouco mais de reajuste salarial), as greves não têm projetado a universidade pública para patamares mais consistentes de reorganização e ação. Pode-se argumentar que as contestações grevistas não existem para isto, mas é evidente que sempre se espera (ou se deveria esperar) que movimentos mais *radicalizados* sejam capazes de produzir alguma transformação qualitativa, educar politicamente os que deles participam e agregar, ao contexto em que ocorrem, mais elementos de construção que de destruição.

Não se pode negar que as greves têm uma razão de ser na universidade pública dos dias de hoje. Elas produzem impacto e mobilizam, chegando mesmo, muitas vezes, a dar maior visibilidade ao quadro de crise e sucateamento que afeta as instituições superiores de ensino e pesquisa. Deste ponto de vista, têm deixado patente que, nas condições atuais, as universidades só conseguem avançar quando demonstram força e pressionam, reativando um espírito de luta que se imaginava adormecido. Têm, em suma, reiterado que a vida democrática é feita de luta e conflito e que há poucas chances de melhoria se não houver empenho e mobilização.

No entanto, se olharmos as coisas de modo mais frio, não teremos como evitar uma conclusão. Ainda que justas em muitos e muitos casos, ainda que revestidas de causas nobres e apoiadas conscientemente por diversos segmentos universitários, as greves não têm deixado um saldo muito animador, nem têm se mostrado uma opção acertada para responder aos dilemas da universidade. Parecem se ressentir da falta, em sua base, de processos mais consistentes e mais bem organizados de análise, deliberação e organização. As greves muitas vezes *acontecem*. Não deixam claro seus motivos. Protesta-se num plano genérico demais – a defesa em abstrato do ensino público e gratuito – ou num plano meramente quantitativo (melhores salários, mais verbas, maiores subsídios), sem que se consiga estabelecer contra o quê ou quem se está efetivamente brigando. Além do mais, as greves acabam por ser vitimadas por algo que está nas entranhas mesmas de movimentos de paralisação em instituições públicas: é que eles não implicam uma possibilidade real de perda ou prejuízo "material", já que há poucos riscos reais no movimento. As aulas são repostas, os salários pagos, as faltas abonadas, não se sofrem grandes ameaças. As paralisações se convertem num grito errático de protesto e insatisfação. Ficam tão *fáceis* e *inofensivas* que chegam quase a se converter numa rotina a mais, perdendo adesões mais por ausência de riscos e sentidos que pela dureza da luta.

Não costumamos pensar muito no efeito negativo que as greves têm sobre o cotidiano acadêmico. Muitos funcionários sequer se dão conta do fato, pois não valorizam a interface acadêmica de seu trabalho (que acreditam ser um trabalho como outro qualquer). A situação muda um pouco entre professores e estudantes, que formam a espinha dorsal e a razão de ser da universidade. Eles pressentem o problema, pois sabem que, após uma paralisação prolongada (2, 3, 4 semanas), os cursos perdem o eixo, as relações acadêmicas ficam prejudicadas, a convivência se deteriora. Sabem que o âmago da vida universitária ficará ferido se não estiver sendo alimentado por contatos regulares. Nem sempre, porém, conseguem reagir de modo compatível. Deixam-se levar, impelidos pelo desalento ou receosos de entrar em atrito com o que parece ser uma decisão tomada em nome de todos e para o bem de todos. Com isso, a frustração, a confusão e o desânimo tornam-se inevitáveis. O esforço para recuperar minimamente o ambiente passa a ser descomunal. Muitos desistem no meio do caminho. Descortina-se um cenário de desolação.

A greve é uma conquista histórica dos tempos modernos. Deve ser sempre defendida, contra os intolerantes, os acomodados, os que se julgam portadores de um *saber técnico* auto-suficiente e imune a erros. A coragem para entrar em greve é uma prova de que estamos dispostos a correr riscos para viabilizar causas valiosas ou para proteger avanços fundamentais. Justamente por isso, precisa ser praticada com sabedoria, sob pena de se desgastar e perder o sentido nobre de que está revestida. Como nos ensina a grande tradição contestatória e revolucionária, por exemplo, não existe um modelo único de greve (a *greve por tempo indeterminado*), nem a greve é um estado de espírito – estamos diante de um ato político, que precisa ser vivido com os olhos naquilo que pode motivar as pessoas a agir coletivamente, de modo consciente e com objetivos bem definidos.

Quando um movimento reivindicatório menospreza as circunstâncias específicas e se prende a princípios abstratos, ele se proíbe de pensar politicamente. Deixando de tratar a greve como instrumento de algo mais amplo, o movimento universitário perde em criatividade e representatividade, arrastando-se na mesmice e na falta de imaginação. E, em vez de gerar novas qualidades (mais união, mais consciência, mais organização), esteriliza-se em ajustes de contas insensatos.

Nas concretas circunstâncias em que nos encontramos, não salvaremos as universidades públicas sem luta e sem sacrifícios. As greves seguramente integram este universo. Porém, se perderem de vista o específico, as greves acabarão também por perder o coração da universidade: a dimensão acadêmica. Na medida em que ajudarem a travar a dinâmica acadêmica e a rebaixar a qualidade dos cursos, farão com que a frente em defesa do ensino público perca pontos preciosos. Quebrarão ainda mais as lealdades internas. Afinal, os jovens estudantes não se ligam às universidades só por serem elas públicas e gratuitas: ligam-se quando têm boas aulas, cursos estruturados e rotinas estimulantes. E, sobretudo, quando contam com professores ativos intelectualmente, vocacionados para formá-los e para ajudá-los a inventar o futuro.

Inimigos internos

Greves prolongadas produzem estragos inevitáveis em instituições como as universidades, nas quais o convívio diário e a regularidade das atividades são vitais. Porém, luta-se com o que se tem. Não há porque imaginar que existam formas *ótimas* de contestação, que possam ser impostas ou sugeridas a partir de fora. Cada movimento concreto – com suas condições objetivas e subjetivas – constrói os instrumentos com que poderá agir. Define tanto o que fazer quanto o como fazer. E não há ninguém, a não ser o próprio movimento (com suas lideranças, sua teoria, sua capacidade política), que possa definir, do exterior ou em termos ideais, a forma certa e adequada de agir.

Mas o fato de se ter uma greve – ainda quando enraizada e capaz de gerar adesões consistentes – não significa que se esteja diante de um movimento que tenha, por si mesmo, munição para recompor a universidade ou equacionar os seus diversos e complicados problemas.

Deste ponto de vista, as greves dos últimos tempos não têm sido fortes o suficiente para promover uma reversão nos grandes problemas da universidade pública, dentre os quais avulta um, que pode ser tomado como o principal deles: hoje, as universidades estão soltas e sozinhas demais, tanto em relação ao mundo político quanto em relação à cultura e ao mundo social. Estão acima de tudo sem uma política que as conceba como parte integrante de um projeto estratégico de nação.

Para complicar ainda mais o quadro, as universidades estão congestionadas de propostas adaptativas, casuísticas, voltadas para ajustes contábeis, invariavelmente saudados pelos governos, que sonham em ver uma universidade que não onere os cofres públicos e que, no limite, seja financiada em termos darwinistas, pelo *mercado* ou por aqueles *que podem pagar*. Falta porém uma idéia de universidade. Algo que nos ponha além da contraposição entre os que agem para descaracterizar a universidade pública e os que a defendem em nome de princípios. Falta até mesmo uma reflexão a respeito do que seja ensino público hoje – um valor republicano inquestionável, que integra a própria razão de ser da escola em geral, mas que precisa ser reiterado em termos concretos, com os olhos na sociedade realmente existente.

Justamente por isso há incentivos demais para que as instituições universitárias se deixem contaminar pela burocratização, pelo produtivismo e por uma rotina de faz-de-conta e artificialismo. Ao lado, portanto, das grandes lutas políticas – dedicadas a re-legitimar a universidade pública – e sindicais (destinadas a repor salários e verbas), os que vivem e atuam nas universidades precisam travar diversas outras lutas *menores*, cotidianas, regra geral coladas às atividades propriamente científicas e educacionais e destinadas a democratizar a universidade, a melhorar sua performance administrativa, a renovar os procedimentos que sustentam as decisões e os relacionamentos internos.

Falando com certa liberdade, pode-se dizer que falta, hoje, nas universidades públicas brasileiras, o delineamento de um novo contrato entre os professores e, a partir dele, entre professores, estudantes e funcionários. Queremos com isso nos referir àquele acordo de base que estabelece não só de que partes está constituído o todo, mas também quais os direitos, os limites e as obrigações de cada uma destas partes. Ou seja, o pacto que fixa quem são os *cidadãos* e como eles se relacionam entre si, de modo a estabelecer um parâmetro geral de convivência e um conjunto de princípios para a tomada de decisões, a disputa política, a defesa dos interesses etc.

Hoje, a rigor, navega-se meio às cegas nesta área. A insatisfação é gritante, mas a falta de rumos, a dificuldade para se chegar a consensos, a ausência de discussão substantiva e mesmo algum *espírito de corpo* impedem que se ponha o dedo na ferida. Não surpreende que seja tão difícil encontrar formas democráticas de arbitrar conflitos e que se derive quase sempre para a dimensão mais imediatamente econômica da vida. O relaxamento, a dissimulação e o desinteresse convivem perigosamente com a defesa de salários e empregos. Em alguns momentos, o próprio mérito (espinha dorsal da vida acadêmica) é deixado solenemente de lado, em benefício de cláusulas formais, exigências burocráticas ou pleitos "democratizantes". Passa-se o mesmo com a qualidade do ensino, com os compromissos docentes ou com o empenho em estudar ou trabalhar.

Em suma, temos muita facilidade para visualizar e criticar os inimigos *externos* que nos penalizam, mas acabamos por inocentar os pequenos, sutis e perversos inimigos internos do dia-a-dia.

Não se sabe bem, por exemplo, qual professor interessa ter na universidade pública, nem os compromissos éticos e profissionais que devem ser dele exigidos. Como devem ser contratados os docentes: com dedicação exclusiva e salários dignos, ou à base de contratos parciais, que lhes permitam vender serviços em outros espaços do mercado? Devem combinar necessariamente o ensino e a pesquisa ou é admissível que se dediquem apenas a uma dessas atividades? Passa-se o mesmo com a autonomia. Do que se trata efetivamente: de uma *regalia* para dar liberdade de gestão financeira aos dirigentes universitários ou de um requisito para que se possa re-inventar a universidade? Além do mais, não se tem nas universidades uma cultura de gestão disseminada, o que dificulta o entendimento da dimensão orçamentária e praticamente impede que se discuta o "custo" das atividades.

Para responder a estas perguntas, a universidade precisará partir de uma análise profunda da sociedade em que está inserida. Terá de dialogar com a opinião pública, com o mundo cultural e com as forças políticas (governos, partidos e instituições), até mesmo para convencê-las de que a defesa do ensino público – de um ensino gratuito, universal, de qualidade – é não só um requisito estratégico para o desenvolvimento do país, como é também uma causa democrática de primeiríssima grandeza, sem a qual não haverá progresso social.

Mas até mesmo para que a sociedade possa refletir sobre o assunto e se predispor a lutar, é indispensável que a comunidade universitária saia a campo e se dinamize internamente, promovendo os necessários deslocamentos de forças, idéias e posições. Será este seu verdadeiro *ajuste*.

Justamente por isto, o engajamento terá de ser total. Nenhum setor poderá deixar de se envolver. Isto é verdade, sobretudo, para os principais professores, que, por serem lideranças e referências intelectuais, e interferirem assim no cerne mesmo da vida universitária, precisarão voltar a se inserir firmemente no dia-a-dia acadêmico, assumindo as responsabilidades educativas, políticas e administrativas que lhes são inerentes. Sem eles, e sem a plena reposição do mérito e do conhecimento, a recuperação da universidade pública permanecerá como que suspensa no ar.

Estamos obrigados a protagonizar uma recuperação dura, de longo prazo, que não só demandará agregação de forças e perspectiva política, como também passará por uma revisão de muitos de nossos hábitos, práticas e comportamentos. Não é apenas a instituição como conjunto de regras que está em crise, mas também a instituição como conjunto de valores, idéias e modos de ver, pensar e sentir. A renovação necessária dependerá de uma boa dose de vontade e determinação para mexer com verdades estabelecidas, rotinas cristalizadas e interesses sedimentados. No coração deste processo, ergue-se um feixe de relações tensas e complexas: entre pessoas e posições institucionais, entre o intelectual e o dirigente, entre professores, estudantes e funcionários, entre finalidades, estruturas e projetos. De modo mais localizado, podemos dizer que a reforma também passa por uma superação do atrito que hoje se constata entre os fins da universidade como espaço acadêmico e a dinâmica da universidade como campo de lutas e reivindicações. Em outros termos, passa por uma recomposição da relação entre academia e sindicatos, que parece ter chegado a um ponto de esgotamento e saturação.

Trata-se de uma tarefa absolutamente urgente. Afinal, as relações entre a lógica acadêmica e a lógica sindical têm sido marcadas por grande dose de conflito e, na maioria das vezes, não conseguem chegar a bom termo. Inclusive porque é um fato, empiricamente observável em quase todos os movimentos reivindicatórios desencadeados no ambiente universitário, que quanto mais se impõe a dinâmica sindical-corporativa mais se esvazia a instituição de dimensão acadêmica e mais se perde o sentido do futuro.

O problema ganha maior dramaticidade quando nos damos conta de que vivemos sob a égide de uma crise de projetos, a que já nos referimos anteriormente. O declínio da idéia mesma de projeto, além de dificultar o estabelecimento do rol de questões que a universidade deverá enfrentar, faz com que questões menores se superponham aos temas substantivos. Tal cenário é favorável ao esvaziamento da dimensão pública da atividade acadêmica e nos coloca, por isso mesmo, diante da iminência de uma crise inédita no ambiente universitário. No limite, não está em questão apenas como será a universidade pública no futuro, mas também se ela continuará a existir enquanto tal.

Neste quadro, não basta reafirmar pela enésima vez uma combativa posição em defesa do ensino público, gratuito e de qualidade. Também é insuficiente (e tem desdobramentos políticos complicados) a idéia de que *quanto mais movimento melhor*, como se as soluções de que se necessita pudessem derivar de atos cabais de contestação e inconformismo. Tanto os colegiados e dirigentes institucionais – o governo da universidade –, quanto os representantes sindicais das categorias que trabalham na universidade, têm diante de si a necessidade primordial de estimular a construção de uma agenda positiva para nortear a vida da universidade pública nos próximos anos, contribuindo para prepará-la para o enfrentamento dos desafios que já se anunciam.

Financiamento público e autonomia

Ainda que sejam muitos os problemas estruturais e diversos os ângulos de abordagem da atual situação que tipifica a universidade pública brasileira, há duas questões que se destacam no plano mais imediato. Elas dizem respeito à autonomia e ao financiamento. No caso específico das três universidades estaduais de São Paulo, o estatuto da autonomia – obtido em 1989 e vinculado ao recebimento de uma quota parte do ICMS – até hoje não conseguiu se desdobrar efetivamente. Após dez anos de experiência, a autonomia continua mal definida. Os próprios problemas estruturais que emergiram com ela (precatórios, custeio de hospitais universitários e remuneração de inativos com recursos do orçamento, etc) mantêm-se praticamente intocáveis. A fragilidade torna-se mais evidente porque o principal pressuposto do modelo (o financiamento das universidades a partir de quota fixa de um tributo consolidado) não se mostra revestido de maior estabilidade ou consistência, podendo ser questionado pela objetivação de qualquer projeto de reforma tributária mais articulado. Com o eventual fim do ICMS, por exemplo, as universidades estaduais paulistas terão de adentrar numa negociação extremamente dura para definir não só o que caberá a elas no âmbito da arrecadação do Estado, mas também quanto cada uma delas receberá desse montante.

No presente momento, em que as atuais condições de financiamento começam a ser questionadas pela "lógica das coisas", deveria estar sendo seriamente discutida a necessidade de se estabelecer um novo mecanismo de financiamento, de modo a qualificar plenamente o próprio estatuto legal da autonomia. Mais ainda: deveriam estar sendo adotadas medidas práticas para vincular a distribuição dos recursos a critérios de mérito e a formas de avaliação de desempenho, levando-se em conta a especificidade de cada área do conhecimento e a diversidade com que, em cada uma delas, se avalia a produtividade.

Tudo isso implica a afirmação de um projeto abrangente, firme, articulado e generoso, que não se paute pela lógica custo/benefício ou pela maximização de interesses. Este terá de ser um projeto embebido de valores, fiel às melhores tradições da universidade, uma instituição que não se limita a equipar e instruir alunos para o mercado de trabalho, mas se realiza como espaço para a formação integral do cidadão. A busca de formas de gestão centradas na avaliação permanente e na valorização do mérito, portanto, deve se dar simultaneamente com o estabelecimento de um novo projeto para a universidade pública. Sem isso, não será possível chegar a um modelo de financiamento estável para essas instituições, nem elas conseguirão exercitar efetivamente seu estatuto de autonomia.

Autonomia e controle social

No entanto, para boa parte daqueles que desenvolvem suas atividades nas universidades, essa seria uma questão mal colocada, em vista das inúmeras formas de avaliação institucional com que já se convive. Tal convicção se sustenta no suposto de que não só a produção intelectual das universidades públicas de São Paulo é de alto nível, como conta também com o apoio integral de uma sociedade cada vez mais empenhada em exigir delas melhores resultados em termos de qualidade de ensino, pesquisa e extensão.

Estas são premissas, porém, que precisam ser matizadas. Ainda que genericamente contenham elementos de verdade, podem encobrir alguma mistificação. Basta atentar para o fato de que, ao longo de várias décadas, a *sociedade civil* assistiu impassível ao desmonte da escola pública de 1º e 2º graus, *conformando-se* cada vez mais em pagar a escola de seus filhos. Em realidade, com o advento pleno da economia de mercado, a sociedade não tem sabido como se posicionar em relação ao princípio republicano da educação pública laica, gratuita e universal, inclusive com a aceitação implícita de que só é de qualidade aquilo que é pago.

Algo semelhante pode vir a ocorrer com a universidade pública, pois, interna e externamente a ela, não se nota grande disposição social para protegê-la ou para incentivá-la a enveredar por um ousado processo de transformação de suas estruturas. Afinal, contrariamente ao que pensam seus próprios membros, ganha força na opinião pública a percepção de que nas universidades públicas há baixa produtividade e que seus professores e funcionários trabalham pouco. Trata-se de uma orientação cultural enormemente facilitada por um mundo que hipostasia o mercado e demoniza o Estado. E que, na atual conjuntura brasileira, acaba por ser incentivada direta ou indiretamente por determinadas políticas governamentais, que beneficiam os grandes empreendimentos educacionais privados em nome da necessidade de responder à crescente demanda por educação superior, a que a universidade pública não conseguiria responder.

Responder a este problema não é simples. Requer a mobilização de muitos recursos e apoios, externos e internos. Em última instância, será a sociedade a determinar o que deve ser feito com o ensino superior ou com a escola. Hoje, pode-se ver que não há disposição social direcionada para proteger a universidade pública ou defender um ensino superior efetivamente público, gratuito e de qualidade. Muitas pessoas acreditam que seria um erro privilegiar o ensino superior enquanto a maioria do povo estiver morrendo de fome, sobretudo porque acreditam que a universidade apresenta baixa produtividade e funciona como um foco gerador de desperdícios.

A este cerco contra a universidade pública soma-se o corporativismo de seus integrantes, que, ao se fecharem em si e valorizarem unilateralmente seus próprios interesses, não favorecem a reposição dos vínculos entre a instituição e a sociedade. A idéia de universidade pública está sendo, portanto, questionada não apenas pela ineficiência burocrática, pela docência relapsa *(os inimigos internos)* e pela truculência de governos neoliberais, mas também pelo corporativismo de seus membros. Tudo contribui para que setores expressivos da própria sociedade vejam cada vez menos sentido em defendê-la. A luta, portanto, não pode mais se concentrar exclusivamente na dimensão *governo* – o governo interno e o governo do Estado –, mas precisa se voltar também para a conquista da opinião pública.

Reforma da universidade e *accountability*

Entretanto, ainda que a cobrança da sociedade não seja algo muito palpável, a exigência de uma maior eficiência da administração pública, em todos os níveis, é outro imperativo da época em que vivemos. No mais das vezes, porém, tal exigência tem se traduzido em posturas *quantitativistas* no tratamento do tema do Estado, com a adoção de políticas que, em nome de critérios de eficiência econômica, acabam por *desmontar* as instituições públicas. Justamente por isso, no caso das universidades – que por sua própria natureza não podem se render ao primado da lógica economicista que combina políticas restritivas de ajuste e orientações governamentais voltadas para a *desconstrução* das instituições públicas –, chega a surpreender a ausência de iniciativas de seus dirigentes no sentido de pensar a reforma de uma perspectiva efetivamente autônoma e inovadora.

Principalmente porque a expansão da educação ocorrida no ensino superior a partir dos anos 70, seguindo fenômeno mundial, gerou nos anos 90 um exército de formados que enfrentam o desemprego e o subemprego, as circunstâncias engendradas por um novo padrão produtivo e gerencial puseram em xeque todas as organizações públicas, fazendo com que viessem à tona suas limitações e deficiências. As universidades não foram exceção. Passaram a exibir a olhos vistos sua baixa capacidade gerencial, correspondente a uma época de menor complexidade e expressa na rotinização burocrática, na resistência à mudança e na dificuldade de inovar. Começaram a ficar vazias de espírito acadêmico. E não souberam como lidar com a conquista da autonomia, que não se desdobrou numa efetiva independência de seus docentes e funcionários administrativos no que diz respeito ao equacionamento de seus problemas. Na realidade, os dirigentes universitários paulistas, nos mais diversos níveis, não demonstram ser autônomos ou independentes o suficiente, nem para redesenhar o funcionamento institucional da universidade, nem para redefinir a dimensão acadêmica que lhe é inerente.

Diferentemente dos empreendimentos educacionais privados, onde a busca de lucros e a concorrência impõem a permanente avaliação de tudo o que é realizado, hipostasiando a lógica custo-benefício, no caso das universidades públicas – onde há forte resistência a essa lógica – chegou-se a uma situação em que, objetivamente, não ocorre qualquer prestação real de contas. Sem projetos claros, sem hierarquia de valores, as universidades adoecem pela falta de controle, autocontrole e responsabilização – a falta de *accountability* –, própria de quem não tem que prestar contas de seu trabalho. Ao passo que as instituições privadas concorrem umas com as outras para atrair alunos, as universidades públicas, dispensadas de fazer o mesmo, nem ampliam significativamente a oferta de vagas nem se reestruturam para realizar efetivamente sua autonomia. Quando muito, algumas de suas faculdades (as que mantêm maior interface com a economia, por exemplo) atuam corporativamente, maximizando isoladamente a busca de recursos externos, reiterando a superioridade de sua docência e propagandeando a excelência de sua pesquisa para, com isso, viabilizar e garantir benefícios ou posições de força.

É aqui que se coloca o principal desafio para que se pense a respeito das relações entre academia e sindicato. Dito mais claramente, não só os dirigentes acadêmicos e os sindicalistas, mas todos os que ensinam, pesquisam e desenvolvem seu trabalho nas universidades públicas, precisam enfrentar o tema de sua reforma. Justamente para livrá-las da irracionalidade da gestão burocrática, predatória e maximizadora de interesses particulares que as acometeu. Se as universidades públicas de São Paulo não quiserem ser vítimas de reformas mal feitas, terão que se tornar protagonistas de um projeto democrático e público de auto-reforma.

Isso significa, em boa medida, repor plenamente a questão da democracia e dos procedimentos através dos quais tomar decisões, resolver conflitos e encaminhar discussões. Sem a construção de consensos no que diz respeito aos tópicos e às prioridades que devem compor nossa agenda de problemas – como, por exemplo, a explosiva situação do pagamento dos inativos com o orçamento da universidade, o problema dos Hospitais Universitários e a difícil questão do pagamento de precatórios –, não será possível enfrentar seriamente o desafio de defender a universidade pública. Se aqueles que ensinam, pesquisam e trabalham nas universidades não tiverem em conta que o resgate da primazia do acadêmico é a chave para que se enfrentem concretamente essas questões, e que, portanto, não vale a pena dissolver o acadêmico numa dinâmica sindicalista extemporânea e radicalizada, perderemos pontos preciosos na guerra de posições que se trava em torno do destino da universidade e do ensino público em geral. Isso é assim até mesmo porque a radicalização expressa bem a cisão entre a dinâmica social e a dinâmica político-institucional cuja raiz encontra-se na política de desmobilização levada a cabo pelo governo federal nos últimos anos e que, sem sombra de dúvidas, explica a revolta e o ressentimento que se vem generalizando pelo país.

A radicalização da luta sindical no âmbito da universidade é mais uma manifestação do profundo mal-estar social que se acumulou nos últimos anos e que, ainda que sem muita clareza política, tenta romper com a dinâmica desmobilizadora. Para muitos dos que se colocam em ação, não importa que não haja muita organização nem pautas bem construídas: o decisivo é que haja movimento. E, mesmo que se possa minimizar os excessos retóricos e o sabor militante presentes nas avaliações triunfalistas sobre greves ou paralisações, a extensão e a duração desses movimentos indicam

171

com clareza que aqueles que trabalham e estudam nas universidades estão dispostos a negar a legitimidade de suas direções a um ponto em que tanto os dirigentes quanto as próprias instituições acabam por ser atingidas. Ainda que sem lideranças consolidadas, sem pautas bem elaboradas e sem negociadores experientes, o movimentismo acabe por se impor e por se estender no tempo.

A radicalização movimentista se manifestou claramente em algumas atitudes adotadas durante o movimento grevista de 2000 – como o piquete em frente à Reitoria da USP, a invasão do Conselho Universitário da UNESP e o impedimento da realização do Conselho Universitário da UNICAMP. Afora o fato de explicitar o menosprezo pela dimensão acadêmica, a postura é reveladora de como o lado positivo que emerge da indignação social pode descambar para a barbárie e para a irresponsabilidade quando não está articulado com objetivos políticos claros e com uma postura pautada pela tolerância e pelo respeito a todas as posições. A intransigência que vem à tona nessas situações impõe uma dinâmica que se nutre da criação permanente do *inimigo*, identificado como aquele que não adere ou que aparece como obstáculo ao caráter redentor que se atribui ao movimento. Nesse momento, já está perdido o núcleo da vida acadêmica, que se estrutura justamente tendo como um de seus valores básicos a tolerância quanto às visões e opiniões divergentes.

Principalmente porque a reivindicação de um ensino superior efetivamente público, gratuito e de qualidade precisa ser objeto de um profundo debate para ganhar corações e mentes, e para não se tornar mais uma bandeira vazia num mundo que desacredita de utopias e de projetos. A luta pela universidade pública é um dos aspectos decisivos de uma luta maior para republicanizar a vida política. Afinal, o predomínio da dinâmica econômica, com sua lógica de custo-benefício, atingiu a idéia mesma de coisa pública e esvaziou a vida social de projetos coletivos, sobretudo de projetos de futuro. Portanto, o empenho organizado em favor da universidade pública necessita chegar ao âmbito mesmo da sociedade, como um aspecto estratégico de qualquer projeto coletivo de futuro que se pretenda construir. Para responder aos desafios acadêmicos e gerenciais que estão colocados para a universidade pública, é necessário reafirmar também seu compromisso histórico com as melhores tradições republicanas do país.

Dirigentes acadêmicos e ativistas sindicais da universidade estão chamados a realizar esse compromisso, qualificando-se como interlocutores e contribuindo para *educar politicamente* a comunidade universitária. Acima de tudo, dependemos da construção de uma agenda positiva para os próximos anos.

O SIGNIFICADO POLÍTICO DA GREVE E A *REALPOLITIK[1]*

Isabel LOUREIRO[2]

Não poderia ser mais oportuna a vinda do Prof. Negt a São Paulo do que neste momento em que estamos em greve nas três universidades públicas paulistas em defesa do ensino público de qualidade e gratuito. Embora possa parecer espúrio ligar as reflexões de Oskar Negt e Alexander Kluge (1998) sobre a política e a nossa greve, o fato é que elas nos ajudam a fazer um balanço do que ocorreu durante este mês, e nessa medida, refletir sobre a esfera da ação política, tema do livro em questão.

Independentemente do pequeno benefício econômico que se possa obter com a greve (todos nós concordamos que para resolver as dificuldades financeiras de um professor universitário em tempo integral até mesmo os 25% de reajuste que reivindicávamos no início era pouco), o grande saldo positivo foi que professores, funcionários e estudantes voltamos a fazer política.

Com isso, retomamos a iniciativa, em vez de ficarmos eternamente nos lamentando pelos corredores, abatidos com o excesso de trabalho, com a falta de perspectivas, sempre reclamando com os colegas da vida sem sentido que estamos levando. Falta de professores, classes superlotadas, infra-estrutura precária e ultrapassada, exigências burocráticas que nos obrigam a preencher cada vez mais formulários inúteis, que logo serão substituídos por outros formulários ainda mais inúteis, em nome da modernização, da eficiência e da produtividade (a maior parte do tempo com o

---

[1] Texto escrito para expor como debatedora de Oskar Negt, no Campus da UNESP, em Assis, no dia 5 de junho de 2000. Em virtude da greve, a atividade foi suspensa e o texto acabou sendo apresentado no dia seguinte, no Campus de Marília, em mesa-redonda com o deputado Ivan Valente, tendo sido uma das muitas atividades na greve realizadas nesse Campus.

[2] Faculdade de Filosofia e Ciências - UNESP - Campus de Marília.

objetivo de fornecer às agências de fomento dados quantitativos para mostrar ao Banco Mundial o nosso "progresso" em termos educacionais e de pesquisa), tudo isso coroado por uma remuneração tão baixa que chega a ser ridícula.

Não é o caso de repetirmos aqui a análise que vem sendo feita de todo esse processo de sucateamento do serviço público no governo FHC, como resultado da adesão ao figurino neoliberal e às suas políticas privatizadoras. A tentativa de privatização do ensino superior público no Brasil é apenas mais um capítulo da mundialização do capital, como bem explicou o físico brasileiro Roberto Salmeron em artigo publicado no caderno Mais! da *Folha de S. Paulo* de 26 de março deste ano.

Numa reunião da Organização Mundial de Comércio (OMC) em 1994, foi assinado um Acordo Geral para o Comércio de Serviços, em que a educação foi considerada serviço. Em outras palavras, uma mercadoria muito lucrativa, uma vez que representa um dos maiores mercados mundiais à disposição do capital financeiro, tanto que, como explica Salmeron, "A campanha na OMC pela privatização do ensino em nível mundial é intensa." Entretanto, é bom esclarecer que "A educação que interessa aos círculos financeiros é a de nível superior, visando a formação de profissionais." Ou seja, o que se pretende, neste modelo, é vincular a instituição universitária às exigências imediatistas do mercado, aniquilando a idéia de universidade tal como foi até agora levada a cabo nas nossas universidades públicas, "universidades como centros de ensino e de criação intelectual nos mais variados domínios, artes, letras, ciências humanas e ciências naturais e exatas, lugar de germinação da cultura e da identidade de um povo", nas palavras de Salmeron. Ou como se dizia antigamente, como espaço da consciência crítica.

Em face deste panorama desolador, a greve das universidades públicas paulistas veio mostrar uma *inesperada* capacidade de luta e de resistência contra o plano privatizador do governo, que se revela de forma clara nos baixos salários que obrigam docentes e funcionários a procurarem "bicos" fora da universidade, a trabalharem nas fundações dentro das universidades (privatização branca) ou a simplesmente optarem pelas universidades particulares.

Este quadro é bem conhecido de todos nós e só quis pintá-lo aqui rapidamente para que o Prof. Negt saiba qual é o cenário em que estamos inseridos. O que não era bem conhecido (ou melhor, o que não era nada conhecido, por isso usei a palavra "inesperada") era a vontade de erguer uma barreira contra tudo isso e voltar a pôr em cena a ação política. E assim recuperar uma dignidade que não sentíamos há muito tempo, a capacidade de dizer não a esse modelo bárbaro e desestruturador da sociabilidade humana, que só vê por toda parte consumidores no lugar de cidadãos.

A greve (até que algum iluminado descubra outro método) é um instrumento de luta adequado, contrariamente ao que pensam dois professores da UNESP de Araraquara, que escreveram um texto (Milton Lahuerta e Marco Aurélio Nogueira (2000),[3] para dizer o mínimo, desmobilizador, antes do início do movimento, alertando do alto da sua sabedoria de cientistas políticos (que pretendem conhecer as leis que governam a história e as sociedades e, de posse desse saber, prevêem a derrota inevitável da greve) para o "cortejo de conseqüências deletérias" de greves "que não educam politicamente", que são desencadeadas de forma irresponsável por uma minoria, que "Não deixam claro sequer seus motivos", que não vêem "contra quê ou quem se está efetivamente brigando". Temos a impressão, ao ler este diagnóstico, aliás inteiramente desmentido pelo atual movimento, de que os professores grevistas, em sua absoluta maioria, são uma cambada de esquerdistas contumazes e irresponsáveis, incapazes de perceber que a greve "precisa ser praticada com sabedoria"(sic!) para preservar seu sentido como instrumento de luta.

Deixando de lado o tom arrogante do artigo, que pretende dar lições de política aos colegas, seus iguais, gostaria de indicar

---

[3] Este artigo foi divulgado na internet a partir do dia 20 de abril de 2000, antes de ser publicado no *Jornal da Unesp*. O artigo que faz parte da presente coletânea, intitulado *Greves, crises e poder de agenda na universidade*, incorpora na sua primeira parte uma versão modificada pelos autores do texto aqui comentado.

que, na atual greve, está ocorrendo precisamente o contrário do que é dito pelos mencionados professores. E se eles erraram foi porque sua concepção de política é aquela criticada pelo livro de Negt e Kluge – a *Realpolitik* –, incapaz, por sua própria natureza, de captar o *novo* que surge espontaneamente no cenário histórico.

Antes de fazer uma comparação entre a *Realpolitik* e a política emancipadora que Negt e Kluge querem construir, na "tradição do Iluminismo europeu e do pensamento dialético vivo", como dizem no Prefácio à edição brasileira (p. 13), quero fazer algumas observações sobre o artigo em pauta, na tentativa de encaminhar o tema que estou abordando.

Em primeiro lugar, é um equívoco enorme dizer que greves na universidade não educam politicamente. Aliás, o indiscutível saldo positivo desta greve até agora foi precisamente a educação política de todos os setores nela envolvidos, sobretudo os estudantes que, pela primeira vez, participam de uma luta em defesa do patrimônio público ameaçado, a qual se insere num combate mais amplo por um futuro melhor. Por um lado, porque esses jovens tomaram consciência de que sem ação direta nada muda e de que o futuro é sombrio; mas, por outro, porque se solidarizaram com os de baixo e resolveram dizer "chega!". Até que ponto a participação ativa dos estudantes não é sinal de uma enorme impaciência em relação ao crescente endurecimento do governo – que não pode permitir reivindicações sociais sob pena de não cumprir à risca os compromissos com o capital internacional?

Seria interessante uma pesquisa que mostrasse o papel desmistificador que exerceu sobre eles a violência policial contra os índios em Porto Seguro, contra os Sem-Terra e, por fim, contra eles mesmos e os professores na manifestação da Avenida Paulista no dia 18 de maio. Por exemplo, a internet foi amplamente utilizada para manifestar a raiva e o inconformismo provocados pela repressão da polícia e pela manipulação da mídia, lição que dificilmente será esquecida. Aliás, seria interessante pensarmos no papel desempenhado pela internet, instrumento poderoso de união e de cuja força não se tinha idéia antes das manifestações de Seattle.

Nada substitui a experiência direta que todos nós estamos tendo no dia a dia da greve, mas, volto a insistir, sobretudo os estudantes, porque é seu batismo: aprender a fazer assembléias, discutir, argumentar, escrever panfletos, tomar decisões, divulgar informações, assistir aulas públicas no gramado da USP, cujo objetivo é a politização dos ouvintes, etc.

Em suma, a greve, como bem destacou Antonio Candido na aula do dia 15 de maio (sobre o tema *Cidadania e movimentos sociais*), é um meio fundamental para manter e ampliar a cidadania, visto que, num país como o nosso, a desigualdade não pode ser abolida apenas pela lei. Sem luta contínua, sem resistência, direitos não são obtidos ou são perdidos. As elites governantes querem que passemos diretamente de escravos a clientes, porém insistimos em nos tornar cidadãos.

Outra afirmação incorreta do artigo em pauta é a de que nós não sabemos sequer contra quem estamos brigando. Todos nós temos clareza de que estamos lutando contra a tentativa de transformar nossas universidades públicas em empresas, tendência inscrita no atual momento de valorização do capital, ou seja, contra a tentativa de introduzir, também na universidade, dois tipos de educação, à semelhança do que foi feito no ensino fundamental e médio: a dos pobres e a dos ricos. O que nós queremos foi muito bem sintetizado por Antonio Candido, numa palestra dada há anos: "[...] incentivemos a pesquisa e a produção intelectual, condições do progresso do conhecimento, mas restauremos o 'ser docente', no sentido ontológico e ético, configurando profissionais que queiram ser professores e não se acanhem disso." Algo muito simples aparentemente, mas que vem sendo inviabilizado de forma sistemática pelo atual governo.

Voltemos ao livro de Negt e Kluge. Em termos bem amplos, podemos dizer que suas reflexões visam recuperar o espaço do agir político, que foi usurpado pela esfera do mercado. Para escaparmos desse beco sem saída em que se transformou a vida social controlada pela aceleração do mercado financeiro, é preciso que nós, os atores sociais, com nossas necessidade e interesses, passemos a *agir conscientemente*, em vez de deixarmos a política nas mãos de profissionais pragmáticos que, falando em nosso nome, manejam "habilidosamente" a arte do possível. Foi assim que a *Realpolitik*, ou seja, a política tradicional entendeu até hoje a política. Segundo nossos autores,

> A *Realpolitik* representa um ideal dos séculos XIX e XX: procuram-se e acham-se talentos políticos, mas não entre os que agem por convicção, e sim entre os pragmáticos, os peritos no ramo. Se [...] tivermos diante dos olhos os resultados concretos desse tipo de política no século XX, não poderemos deixar de perguntar se não há algo de errado na estrutura desse conceito de política e em seus efeitos objetivos. Essa política provou-se inútil sob vários aspectos. Ela não produz algo durável e, por essa simples razão, não produz uma comunidade. Nos momentos em que uma comunidade se insinua, isto é, nos momentos em que as pessoas começam a se organizar por si mesmas e de acordo com seus interesses vitais, a *Realpolitik* dedica-se exatamente a intervir nesses processos, interrompendo sua continuidade, o que significa que ela se empenha em impedir a concretização de melhores possibilidades de organização da comunidade. Diante de interesses que eram orientados em função da comunidade e que se entendiam como políticos, a *Realpolitik* sempre fez valer o ponto de vista depreciativo que os encara como mera utopia, contribuindo assim para a mistificação do poder de realidade do que é dado. (p .21-22)

Duas idéias me interessam nesta passagem:

1. a *Realpolitik* não produz algo duradouro, uma comunidade; ao contrário, ela impede sua criação. Em nome do que existe, qualquer alternativa visando o bem comum é vista como mera utopia. Voltando à greve: a posição dos pragmáticos, que olham os grevistas com ar *blasé* ou com ironia porque pretendem saber de antemão que "a greve não vai dar em nada", a esses eu responderia usando as seguintes palavras de Negt ao ser entrevistado pelo Prof. Carlos Eduardo Jordão Machado: "há situações históricas nas quais as utopias são realistas". Ou seja, muitas vezes o realismo político não passa de justificativa para

a falta de solidariedade, para o comodismo e a sujeição ao existente. A "utopia realista", no nosso caso, é que decidimos não aceitar o que estava dado em termos econômicos e políticos; iniciamos o movimento, como sempre, aceitando o *risco* que ele comporta, apostando no seu resultado positivo. Não há política sem *aposta*, sem risco, e todos nós aceitamos encarar isso ao entrar em greve, porque valia mais a pena correr o risco de sermos derrotados do que ficar na segurança medíocre do já conhecido. Isso quanto à idéia de utopia.

2. Quanto à idéia de comunidade, eu diria o seguinte: o dia a dia da greve cria justamente uma comunidade diferente daquela da vida "normal", cria solidariedades diferentes, às vezes insuspeitas (e também inimizades), uma comunidade que se rege por outros princípios e outras regras. Dizem os autores, no trecho citado, que uma comunidade começa a produzir-se quando as pessoas se organizam por si mesmas, segundo seus interesses vitais. A auto-organização sempre foi insuportável para o político realista que teme perder o controle da situação e conseqüentemente o poder. Mais uma vez, no caso da greve, há um germe de auto-organização, ainda que no plano restrito da instituição. Os participantes sabem decidir democraticamente o que deve e o que não deve funcionar, e de modo geral, os conflitos são resolvidos pacificamente.

Os nossos autores lembram que a *Realpolitik*, que dominou o Ocidente nos dois últimos séculos, só teve resultados catastróficos e isso porque não tem por objetivo ampliar a autonomia humana, a qual só é possível no interior de uma esfera pública independente, cuja vitalidade resulta de conservarmos "aberto o caminho imediato entre a subjetividade e a comunidade" (p.303). Indivíduo e comunidade não são pólos antagônicos; pelo contrário, um se fortalece com o fortalecimento do outro, e não às expensas do outro. E a comunidade só pode ser fortalecida a partir da ação política *consciente* dos indivíduos no interior da comunidade. É aqui que surge a possibilidade de aguçarmos "nossa capacidade política de julgar" (p.17), ou seja, nossa "capacidade de discernimento", e de passarmos a ser críticos em relação "à realidade de concreto armado das relações existentes" (p.10).

No livro de Negt e Kluge, é central o vínculo entre política e capacidade de discernimento – a capacidade de distinguir entre uma prática que leva à emancipação, à organização racional da sociedade e à libertação individual e outra que é indiferente a tudo isso, e que se limita a formar a política como uma esfera profissional à parte.

Para que a dimensão política da vida possa ser exercida num sentido emancipador é preciso haver o que Negt/Kluge chamam de *relações de medida* (*Relações de medida em política* é precisamente o título da obra em alemão), ou seja, é necessário haver uma proporção entre os vários elementos constitutivos da vida social, tendo por objetivo o bem-estar da comunidade. "Se observadas atentamente, a autodissolução do 'socialismo realmente existente' e a reunificação da Alemanha contêm em si relações de medida muito ricas; mas a rapidez do desenvolvimento não garantiu a nenhum elemento o *tempo adequado para o seu desdobramento*" (p. 17). Em outras palavras, uma política que vise sujeitos autônomos carece de tempo – só assim uma comunidade pode criar-se e desenvolver-se. "Essa reserva de tempo é, em política, a relação de medida mais importante" (p. 26). Onde não há tempo não há medida, e sim confusão, equívoco, destruição.

Portanto, reconquistar a esfera pública, espaço da ação política, implica fazer a crítica do conceito técnico-administrativo de tempo, ao qual a política se encontra subordinada, em nome do tempo humano. Em contraste com a idéia de contração do tempo, reduzido hoje ao giro do mercado financeiro, Negt recorre à sugestiva reflexão de Walter Benjamin sobre a revolução de julho na França, em que os revolucionários atiravam nas torres dos relógios a fim de pararem o tempo. "A apropriação do espaço público, sua ocupação prática, é inimaginável sem um momento de parada do tempo, sem que se parem os relógios" (p. 89). O objetivo aqui é a formação de uma coletividade livre, não a produtividade e o lucro que, para se realizarem, precisam da "aceleração incondicional" (p. 147), da renovação incessante e, por conseguinte, da destruição e do esquecimento de tudo que não é "moderno".

Contra "a velocidade como política" (p.283), que só leva ao "tempo vazio da repetição do mesmo" ou a um tempo "em que todo compasso contém a desvalorização do anterior", Negt pensa que "vale para as vidas humanas o que Rousseau disse a respeito da educação das crianças, isto é, que não se trata de ganhar tempo, mas de perder tempo. Elas necessitam de tempos qualitativos, orgânicos"(p. 285). Daí a exigência da recordação, do trabalho do luto sobre tudo que se perdeu, pois "só o trabalho sobre o que foi esquecido e perdido abre uma livre perspectiva para o futuro" (p. 90).

Eis o progresso segundo Negt: "produção de espaço e de tempo públicos, para trazer de volta à memória os problemas reprimidos do passado e à tona a realidade oculta." Talvez não seja ocioso lembrar que aqui a psicanálise está no horizonte. A idéia de progresso como aceleração incessante, que desconsidera os ritmos diferentes da história e da natureza orgânica, até agora só nos levou à catástrofe. Por isso mesmo as revoluções, ao interromperem o curso quotidiano do tempo, dão lugar a energias novas, reprimidas, que brotam inesperadamente, dão espaço para a solidariedade, a criatividade dos atores políticos que, procurando responder às questões deixadas sem solução pelo caminho, procuram realizar as esperanças do passado, ou, em outras palavras, redimir o passado (acabando com a injustiça e o sofrimento). É esse conteúdo utópico que as reflexões de Negt e Kluge mantêm no horizonte, como uma espécie de relação de medida que permite fazer a crítica da *Realpolitk*.

No mais, os autores pensam que é possível que a redução da jornada de trabalho contribua para que o tempo disponível favoreça a capacidade de recordação e a capacidade de os indivíduos se abandonarem "às relações complicadas e cuidadosas de um mundo afetivo desenvolvido" (p. 164). Se isso ocorrer "o resultado poderia ser algo comparável ao ócio da Antigüidade grega. O ócio é uma forma pública de dispor do tempo" (p. 165). É um tempo de incubação, que espera o momento de crescer (p. 217), de amadurecer. É um tempo qualitativo, orgânico, o tempo da vida humana e não o tempo quantitativo, rápido, da valorização do capital. Numa sociedade com muito tempo livre, todos poderiam dedicar-se aos

183

assuntos coletivos, e essa camada separada de especialistas da coisa pública, os políticos, se tornaria anacrônica.

Depois dessa rápida exposição de algumas das idéias centrais do livro, voltemos à universidade e tentemos fazer algumas ligações com a nossa realidade atual.

Negt faz a defesa do tempo lento da experiência contra o tempo vertiginoso do capital; busca recuperar a lentidão que permite pensar coletivamente e traçar o caminho que queremos percorrer. O oposto do que vivemos hoje, até mesmo na Universidade – aceleração constante, na tentativa ilusória de implantar um padrão eficiente, moderno, produtivo (veja-se o encurtamento dos prazos na pós-graduação), quando na verdade o pensamento crítico e a formação de cidadãos requerem tempo. De nada adianta querer introduzir às pressas a modernidade na educação, o progresso das máquinas, quantitativo, sem prestar atenção ao elemento humano, que é o principal. Como diz o Prof. Alfredo Bosi, em artigo publicado na revista *praga* nº 6, fazendo um balanço da política educacional do governo FHC:

> Continua, pois, vigorando o primado das coisas sobre as pessoas. Computadores e TVs aos milhares sem professores respeitados e estimulados são sucata virtual. Livros didáticos sem mestres que os leiam e os trabalhem com garra e entusiasmo são pilhas de papéis destinados ao lixo do esquecimento. Nada há que 'reciclar', nada a avaliar enquanto não se eleva a plataforma inicial. Só neste caso será possível atrair para a escola talentos e vocações. As coisas sem as pessoas são letra morta. Preferir as coisas a pessoas não é realismo. É equívoco ou conformismo.

Ou seja, a luta pela universidade pública insere-se numa visão de mundo que encara o progresso em termos de "produção de espaço e de tempo públicos", como quer Negt. O que tem tudo a ver com a reivindicação de Marilena Chauí, em artigo também publicado na revista *praga* nº 6:

> [...] reivindico que a universidade seja o lugar onde possamos viver para cultivar nosso espírito encarnado e situado e formar espíritos encarnados e situados para que nós e eles, porque

encarnados e situados em condições históricas determinadas, possamos compreender a realidade que nos envolve e de que somos parte; reivindico que a universidade seja um campo de reflexão, crítica, embates e combates, de descoberta e invenção cujo compromisso primordial seja com a verdade porque tal compromisso é, em si mesmo, desejo de liberdade, beleza, justiça e felicidade, e somente esse compromisso assegura uma docência capaz de formar gerações cultivadas, que intervenham na sociedade e na política, movidas pelo conhecimento e pelo sentimento do verdadeiro, do belo, do bom e do justo.

Foi para impedir que esse ideal de universidade, que é o nosso, fosse totalmente aniquilado que entramos em greve. Espero que este período de ruptura da vida quotidiana, que tem levado toda a comunidade acadêmica a refletir sobre que universidade queremos, dê frutos que possam ser colhidos por todos nós num futuro próximo.

Referências

LAHUERTA, M.; NOGUEIRA, M. A. Greves e educação política. *Jornal da Unesp*, maio de 2000.

NEGT, O.; Alexander KLUGE, A. *O que há de político na política?* São Paulo: Editora Unesp, 1998.

CIDADANIA E MOVIMENTOS SOCIAIS[1]

Antonio CANDIDO[2]

Fazendo algumas reflexões sobre o problema da cidadania que está em pauta, devemos começar pelas definições banais. Em sentido estrito, cidadania é o fato de os membros de uma sociedade desfrutarem dos direitos políticos e dos direitos civis que a constituição e as leis lhes asseguram. Mas, de modo geral, nós costumamos acrescentar algo de muito importante e que é fundamental – não apenas a existência objetiva destes direitos eventuais, mas a consciência que as pessoas têm destes direitos. Sem a consciência não há exercício pleno da cidadania. Portanto, existe um aspecto externo da cidadania e existe um aspecto interno da cidadania. Além disso, há na sociedade uma situação de direito e uma situação de fato. Segundo a situação de direito *todos* são iguais perante a lei, mas todo mundo sabe que isto não é verdade.

Na realidade nós sabemos que há graus de cidadania. Na cidadania de fato há graus, na cidadania de direito não. Porque nem todos são tratados conforme seus direitos. Nem todos, como disse o nosso companheiro Delwek [Matheus, líder nacional do MST], nem todos têm condição de exercer seus direitos, nem sabem da existência deles. Os que não têm consciência dos seus direitos são os que não receberam instrução, não têm nível econômico, nem condições de vida que permitam isso.

A consciência da cidadania depende da consciência dos direitos, e a consciência dos direitos depende da condição econômica e da condição social de cada um. De maneira que na sociedade há uma contradição tremenda entre o que é estatuído e o que de fato ocorre nesse setor. Isto nos leva a uma segunda consideração, que é

---

[1] Aula na greve ministrada em 15 de maio de 2000 no gramado da Reitoria da USP.
[2] Sociólogo e crítico literário. Professor aposentado da USP.

a seguinte: a cidadania não é apenas o que se chama uma expectativa de direito. Quer dizer que teoricamente a pessoa *tem* aquele direito. Portanto, ela tem o direito de esperar que possa gozar dele. A cidadania é uma expectativa de direito e constantemente na nossa sociedade temos verificado uma aspiração incessante, uma aspiração constante a poder desfrutar efetivamente deste direito. Como disse muito bem o nosso companheiro Delwek, isso tem uma condição, exige uma constante ação, uma luta constante. Sem a ação constante de reivindicação e de luta, a pessoa não tem acesso ao direito que lhe cabe.

É neste ponto que a cidadania deixa de ser uma simples formulação teórica, que na prática beneficia poucos, para tender a abranger outros grupos e outras classes. O MST, por exemplo, é um desses movimentos, é um movimento que procura alargar o âmbito da cidadania. Procura fazer com que seus participantes possam vir a desfrutar efetivamente de benefícios que o direito lhes assegura teoricamente. As greves são também um tipo de movimento que redunda em alargamento da cidadania. Esta que está em curso é uma greve cuja iniciativa vem de grupos ligados ao ensino, à busca de condições materiais e intelectuais que permitam ao ensino atuar satisfatoriamente. Então nós podemos ver que estes movimentos ampliam a consciência de cidadania de um lado e ampliam de outro lado a conquista dos direitos a que esta consciência corresponde. À medida que os grupos se empenham na luta pela cidadania eles aumentam a sua capacidade de luta, e à medida que aumentam a sua capacidade de luta eles atuam com muito maior eficiência na sociedade para poder arrancar os direitos que lhes cabem, que existem teoricamente, mas não existem na prática para a maioria.

Podemos concluir que se nós encararmos a cidadania de maneira dinâmica e não estática, ela é sempre um alvo a ser atingido. E um alvo a ser atingido é um aumento das oportunidades sociais, políticas e econômicas. Para crescer, a cada vez precisamos reivindicar mais. É um movimento praticamente sem fim, a curto e a médio prazo. Por isso é que a consciência da cidadania leva a perceber que na nossa sociedade ela é algo de muito incompleto, algo que precisa ser completado. Devemos portanto encarar a cidadania como algo que temos que conquistar a cada dia, a cada momento. Este fato é claro se tomarmos um exemplo simples, um direito político, o direito de voto, que é a base das democracias contemporâneas. No Brasil imperial, por exemplo, só podia votar quem tivesse uma certa renda. E mais. Só podia ser eleito quem tivesse uma renda maior do que aquela. Isso excluía um número enorme de habitantes do país. Além do mais as mulheres e os escravos não podiam votar, pois os escravos não eram reconhecidos como cidadãos.

Naquele tempo falava-se muito em liberalismo, os políticos, os pensadores, os jornalistas, os administradores, os professores, eram todos sinceramente liberais. E estavam convencidos de que ao votar estavam exprimindo a vontade popular. Ora, vontade popular significa vontade da totalidade, mas no Brasil imperial, as eleições exprimiam a vontade de uma ínfima minoria. Isso mostra a insuficiência da fórmula liberal, que não basta, porque assegura apenas *formalmente* os direitos do cidadão. Na verdade, é um obstáculo que impede a realização prática da teoria.

Contra isso se insurgia no século XIX o socialismo. Encarado do ângulo do nosso tema de hoje, o socialismo é uma tentativa de ampliar os direitos civis, políticos e econômicos para a totalidade da população. Coisa que o liberalismo não previa. O liberalismo achava que, assegurando o direito daqueles que são considerados cidadãos, estes controlavam a máquina do Estado e a sociedade funcionava normalmente. Com o socialismo ficou bem claro, em primeiro lugar, que os direitos políticos só não são suficientes. Segundo, que mesmo estes direitos políticos só se tornam efetivos se nós acrescentarmos a eles direitos sociais e direitos econômicos.

Um dos direitos garantidos pela Constituição é o direito à propriedade. Mas acontece que nem todos possuem propriedade. Por isso está o MST aí, fazendo a sua luta. E a maneira de resolver o problema é fazer que a propriedade dos meios de produção seja geral, seja para todos, e aí está a essência do socialismo. Enquanto os meios de produção não forem de todos não haverá cidadania plena, porque só essa *propriedade geral* assegura a igualdade, e a igualdade é um pressuposto virtual da verdadeira cidadania. Eu acho que é preciso ser otimista sempre; quem não é otimista não faz política, porque a política pressupõe que devemos lutar para que coisas melhores aconteçam, mesmo que a situação presente seja a pior possível. E se encararmos a realidade com otimismo, veremos que na história do nosso país o âmbito da cidadania tem crescido sem parar. Muito insatisfatoriamente, mas sem parar. Isso leva a esperar que continue crescendo, e se não esperarmos que as leis se façam por si mesmas, mas arrancando sempre com luta os meios para que a cidadania se torne algo geral, poderemos chegar ao momento em que será possível a apropriação correta dos meios de produção. Quando isto for possível, será estabelecido um máximo de igualdade.

Um terceiro tópico que convém mencionar é a relação que há entre a nossa consciência, a consciência das pessoas e o avanço ou recuo dos direitos políticos, civis e econômicos de cada momento da história. Cada momento da história define qual é o âmbito da cidadania: quem é cidadão, quem não é cidadão; quem pode votar, quem não pode votar; quem tem efetivamente propriedade, quem não tem. Cada sociedade procura ajustar sua moral e sua visão de mundo a esse âmbito e aí surgem contradições muito curiosas. Por exemplo, um dos pais da democracia foi Jefferson, figura extraordinária, grande pensador. No entanto, Jefferson admitia a escravidão. Naquele tempo isso não causava um escândalo tão grande. Então tínhamos afirmação democrática, direito de voto, igualdade civil e ... escravidão, o que é a negação total de tudo isso.

A escravidão significa pôr fora do âmbito dos direitos civis uma considerável parcela da população. Aqui no Brasil, no século XIX, nós tivemos um grande liberal – Teófilo Ottoni. Ele contribuiu para que o liberalismo brasileiro assumisse tonalidades democráticas. Teófilo Ottoni se bateu, lutou e quase conseguiu, nas eleições de 1861, transformar as tonalidades políticas. O que ele dizia da democracia? Dizia expressamente: "A democracia que eu desejo não é a democracia da canalha, é a democracia da gente de gravata lavada." (Naquele tempo " gente de gravata lavada" era sinônimo de classe média). Portanto, no tempo dele era possível ser democrata com esta concepção que exclui o povo. Devemos, então, vilipendiar esses grandes homens, Jefferson, Teófilo Ottoni, por causa de seus conceitos? Não.

Eu tenho a impressão que daqui a uns cem anos, os netos de vocês, os meus bisnetos vão dizer de nossas reuniões (como esta agora) que se fazia greve na Universidade, com discussões sobre direitos, com muito espírito democrático, mas no entanto, nossos empregados domésticos não comiam conosco à mesa. "Como não comiam à mesa?" Sim, comiam na cozinha e dormiam na edícula... [palmas prolongadas]. Isto vai ser uma fonte de escândalo extraordinário no futuro. Mas nossa consciência está em paz neste momento. Portanto, não vamos vilipendiar Jefferson ou Teófilo Ottoni porque estamos no mesmo barco. O importante é ampliarmos a consciência política de tal maneira que um dia, realmente, este tipo de consideração negativa se torne difícil ou impossível.

Essa restrição da cidadania chegou a um ponto que houve teóricos que disseram expressamente que a escolha feita por um número pequeno é melhor do que a escolha feita por um grande número. Isto está expresso no livro do Presidente Campos Salles, aliás um excelente livro, que se chama *Da propaganda à República*. Foi ele, Campos Salles, que criou a famosa política dos governadores – o governo central se entendia com os governadores e o povo que fosse "caçar passarinhos". Ele dizia mais ou menos: "no mundo pouca gente é gente selecionada, que sabe o que está fazendo. Portanto, vamos escolher os melhores. Se eu ampliar demais a consulta, entrariam os ignorantes, os mal intencionados, os analfabetos."

Digo isto para mostrar como o conceito de cidadania depende da consciência da cidadania. É preciso que não só as possibilidades objetivas da cidadania se ampliem, mas que a consciência da cidadania amadureça. Penso que um grande progresso que conseguimos no nosso tempo é que, apesar dos pesares, teoricamente, hoje nós consideramos como cidadão a totalidade do povo. Este é um conceito, por enquanto, mas é um conceito. Um conceito importante.

Mas agora é preciso fazer com que a realidade corresponda a esse conceito e a realidade só corresponderá a esse conceito por meio de luta incessante. E a luta é a reivindicação. Esta ampliação do conceito está ligada ao fato de haver grupos cada vez maiores e mais aguerridos com mais vontade de lutar. Estou convencido de que episódios relativamente modestos na história do país, como esta greve, são episódios desse processo. Esta greve é um episódio de reivindicação, de ampliação de consciência, de ampliação de cidadania, de modo que no âmbito restrito da profissão, no âmbito restrito da instituição, no qual este processo está em baixa, nós estamos contribuindo para a ampliação crescente dos direitos políticos, sociais, econômicos, culturais. Para a ampliação constante destes direitos é que é necessária uma vigilância permanente, uma permanente disposição de entrar na luta quando for preciso.

DIREITO DE GREVE[1]

Dalmo DALLARI[2]

Caros colegas:

Quero também dizer da minha satisfação de estar aqui entre os colegas num momento de mobilização. É claro que eu preferia estar entre os colegas para festejar alguma coisa. Mas tendo em vista a importância da tomada de consciência e da mobilização, eu acho que isto até é uma festa. E, sem fazer ironia, me lembro que os jornais publicaram nestes dias que o Presidente da República, falando lá de fora do Brasil, estava "cobrando mobilização do povo brasileiro" – então nós estamos dando resposta [risos]. Nunca vi gente mais obediente do que o pessoal da USP.

Evidentemente, vou fazer algumas considerações a respeito do aspecto jurídico relacionadas com a greve. E quando digo que vou falar sobre aspectos jurídicos quero fazer uma advertência. Uma vez fui dar uma aula inaugural na Universidade de Londrina. O Reitor era um engenheiro. Quando terminei, ele cumprimentou-me e disse: "quero cumprimentá-lo especialmente porque é a primeira vez que ouço um professor de Direito, advogado, falar por mais de três minutos e não dizer *data venia*" [risos]. Eu não vou dizer *data venia*. Vou ficar nas questões fundamentais e, desde logo, acho necessário esclarecer um ponto: embora este meu envolvimento extremamente honroso neste debate a convite da ADUSP seja recente, tive ocasião de fazer uma análise do movimento e formalizar uma proposta à Congregação da Faculdade de Direito para que, por unanimidade (e foi o que aconteceu), reconhecesse a legitimidade do movimento. É um ponto que considero muito importante e gostaria que Diretores de outras unidades, que não a Faculdade de Direito, também ouvissem isto.

[1] Intervenção do Prof. Dalmo Dallari na Assembléia da ADUSP realizada no Auditório Abraão de Moraes, em 12 de junho de 2000.

[2] Faculdade de Direito da USP – SP.

Nós tivemos a Congregação convocada para um pronunciamento sobre o movimento grevista e a Diretora disse que havia recebido do Departamento de Recursos Humanos a determinação para que tomasse nota para fazer os descontos em folha e, ao mesmo tempo, colocasse listas de presença para que os funcionários assinassem. Seria uma lista que um funcionário ficaria segurando no Largo de São Francisco, na rua, para que o funcionário fosse até lá e dissesse: "eu cheguei aqui...".

Falei sobre isto, primeiro dizendo ser um absurdo que um Diretor de Faculdade recebesse do chefe de Departamento (por mais respeitável que ele seja) uma ordem no sentido de cercear direitos. Não é possível isto! Um Diretor não pode, passivamente, dizer: "O chefe do Departamento me mandou fazer, então eu vou fazer". De maneira alguma! Então vamos discutir a questão. Discutimos a questão e, no fim, para facilitar a vida da Diretora, fiz formalmente a proposta para que não houvesse listas, não houvesse descontos, não houvesse nada. Nós, a Congregação da Faculdade de Direito, assumimos a responsabilidade. É sobre isto então que quero rapidamente dizer alguma coisa, pois tem havido, inclusive, publicações de informações, circulares e até entrevistas com afirmações absolutamente inadequadas.

Tive também a oportunidade, algumas vezes, de falar com o Reitor [da USP] a respeito de aspectos jurídicos nestes últimos dias. Eu, junto com o prof. Bosi, comparecemos aí, uma noite, num dos momentos mais críticos. Depois disso tive que viajar para a Bahia, para o encerramento de um curso de Direitos Humanos. No momento em que eu saía, o Reitor me ligou e, assim que cheguei, me ligou novamente, colocando algumas dúvidas de caráter jurídico. O primeiro ponto é sobre a legitimidade e legalidade deste movimento grevista. Quanto ao aspecto ético, já foi enfatizado pelo Prof. Bosi, que insistiu muito que é uma iniqüidade o que estão fazendo com a Universidade. É absolutamente legítimo que a Universidade reaja.

E mais do que isso, há uma garantia constitucional do direito de greve. Está expresso na Constituição. Na história da greve, no Direito Brasileiro, nós vamos encontrar primeiro uma proibição absoluta. Depois, oscilações na Constituição, em alguns momentos admitindo o direito de greve, mas excluindo expressamente o serviço público. Depois, nos momentos ditatoriais, proibindo e afirmando que a greve é crime, não é direito.

Nesse aspecto, a Constituição de 1988 representa um avanço extremamente significativo. Ela afirma o direito de greve e de maneira genérica: direito dos trabalhadores. É muito importante conhecer este ponto para estarmos bem firmes, pois houve inúmeras tentativas no sentido de dizer que trabalhador não inclui quem trabalha no serviço público. Trabalhador é só quem trabalha para a empresa privada.

Para vocês terem uma idéia de quanto isto é, tem sido e foi iníquo entre nós, um dia, antes de 1988, eu estava em Belém do Pará junto com o Secretário da Justiça e, conversando com ele na sala, ouvimos um barulho diferente na rua. Fomos olhar, era uma passeata de professores do ensino básico do Estado do Pará. O Secretário da Justiça disse: "você sabe o que eles estão reivindicando? Eles querem ganhar salário mínimo." (risos constrangidos) Porque o que se dizia era isso: é que a garantia do salário mínimo ao trabalhador não atingia o setor público. Este é um avanço muito significativo que já ocorreu entre nós, este argumento não dá mais para sustentar. A Constituição fala genericamente em trabalhador. Trabalhador é quem trabalha e o trabalhador assalariado, não importa quem pague, é trabalhador assalariado e recebe, seja do setor público, seja da empresa privada. Neste sentido, houve um avanço que, para o nosso caso, é muito importante. Porque já houve quem dissesse que não há direito de greve para o setor público, e vocês são do setor público!

Isto não é verdade! Não é jurídico e nem o Supremo Tribunal, nem ninguém acolhe mais esta tese. Existe sim o direito de greve também para o setor público.

E para quem quiser dar uma olhadinha no artigo 9º da Constituição, lá diz genericamente: "é assegurado o direito de greve" e, depois, "competindo aos trabalhadores decidir sobre a oportunidade de exercê-lo e sobre os interesses que devam, por meio dele, defender". Isto quer dizer: aos *trabalhadores* – nós somos trabalhadores e nós trabalhamos na Universidade, somos assalariados e recebemos da Universidade pelo trabalho que executamos. Este é o primeiro ponto que é importante que fique bem claro.

Agora, prosseguindo (e aqui já vou fazer referência a algumas questões que foram suscitadas inclusive pelo Reitor quando telefonou e disse: "Minha assessoria está me dizendo isto...". Eu não sei o nome do assessor ... mas acho que o setor de Recursos Humanos tem alguma coisa a ver com isto... [risos]), eu li uma dessas circulares que contém inclusive erros jurídicos, não é? E lendo a circular, se eu não soubesse de quem era, ia pensar que era do Reitor [risos], porque ele fala com tanta suficiência, com tanta arrogância, nunca vi coisa assim [risos]. Em todo caso, é uma afirmação que está expressa e que não é verdadeira. Dizia o seguinte: "que não podemos fazer greve no serviço público porque ela não está regulamentada." Na verdade existe uma lei de greve do setor privado que é omissa quanto ao setor público. Entretanto (e este foi um argumento que lembrei na Congregação da Faculdade de Direito), a nossa Constituição, que foi feita com muita participação popular, tomou cuidado para que não houvesse o tipo de alegação que já se fez muitas vezes entre nós, que *não se pode usar o direito porque não está regulamentado.*

Principalmente os mais antigos devem estar lembrados que a Constituição de 1946 dizia que o trabalhador tinha o direito de participação no lucro da empresa e esta participação nunca foi dada porque nunca foi feita a lei regulamentando. Quer dizer, a Constituição nasceu e morreu, e o direito não foi usado.

Exatamente para que isso não aconteça, a Constituição tem no artigo 5º, no parágrafo 2º, um dispositivo muito importante que tem sido usado inúmeras vezes. Realmente tem grande importância prática – é o parágrafo 1º do artigo 5º: "as normas definidoras dos direitos e garantias fundamentais têm aplicação imediata." *Imediata* é: não depende de lei regulamentadora. Isto está expresso e foi feito exatamente por causa dos nossos antecedentes históricos, daquilo de fazer uma Constituição bem bonitinha, com uma porção de direitos, e depois dizer: "Que pena! Não tem lei para regulamentar, a gente não pode usar!..." [risos]

Então, neste caso, não tem a lei, mas tem o direito, o direito que está expresso na Constituição, exatamente no capítulo dos direitos fundamentais. Logo, não há como negar que este direito já existe e que é usável.

Depois vem a questão do pagamento dos dias parados e aí também foi feita a alegação da assessoria, e o Reitor alega duas coisas: a primeira, é o que está escrito na Circular dos Recursos Humanos, a greve suspende o contrato de trabalho, o que absolutamente não é verdadeiro. Se a greve suspende o contrato de trabalho, esse tempo de greve não poderia ser contado como tempo de serviço. Começa por aí. E nunca se fez isso no Brasil. É impensável uma coisa dessas. O empregado continua empregado. O que se altera é a prestação de serviço, pura e simplesmente isto, nada mais. É um direito esta interrupção da prestação de serviço, está no próprio conceito de greve, então é um direito. É um direito o contrato de trabalho continuar inteiramente válido, continuar em vigor, não existe a suspensão do contrato de trabalho. Este argumento de que o contrato está suspenso é para dizer que não se pode pagar quando o contrato está suspenso. Isto não é verdade, não é juridicamente verdadeiro.

Depois vem o outro argumento: que não se pode pagar porque a pessoa não trabalhou, e este argumento foi dito com ênfase e assustou o Reitor, eu senti. Diziam: "se o Reitor pagar pelos dias não trabalhados, ele vai ser pessoalmente responsabilizado", o que absolutamente também não é verdade.

Há vários argumentos que já são reconhecíveis no Direito, um deles é a situação de "força maior". Tomemos como exemplo a Faculdade de Direito. Falando bem francamente, entre amigos, o número de professores com dedicação exclusiva na Faculdade de Direito é muito pequeno e por isso a questão salarial afeta pouco o professor. Afeta muito o funcionário, obviamente. Mas o funcionário está muito longe, até mais isolado, de maneira geral é mais tímido, menos atuante. Mas isto faz parte da "força maior". Quer dizer, o funcionário que não foi trabalhar, foi por que sofreu algum tipo de coação? Coação psicológica é coação? É ilegítima? Os colegas dizem: "você continua trabalhando, não se solidarizou conosco. Mas na hora em que vier o benefício você vai receber" Ouvi este argumento usado por velhos funcionários da Faculdade de Direito, que, com muito constrangimento, mas com certo temor, diziam: "eu prefiro não trabalhar porque acho injusto com os colegas".

Eu mesmo, francamente, como Chefe de Departamento (agora sou chefe de Departamento), digo: "vá para casa. Tem algum sentido você ficar aí com esse tremendo constrangimento? Se você tiver convicção de que deve trabalhar você é livre para decidir. Mas se você estiver trabalhando só de medo e de constrangimento, sentindo que não deve trabalhar, vá embora!" Então, por todas essas razões, não cabe o desconto, pois não sei se o funcionário não trabalha porque não quis ou porque não pôde. Esta obviamente é uma situação de "força maior".

A nossa Diretora disse que havia dito que a situação "era normal" na Faculdade de Direito. Mas como normal? Nós temos um prédio de 12 andares que aloja todos os Departamentos. O prédio estava fechado com grades. Que normalidade é essa se nenhum Departamento funciona? A biblioteca fechada, cortada a comunicação com a Reitoria, a correspondência não estava sendo distribuída, não se poderia usar o computador, o fax. Isto é normalidade? Mudou então? O Prof. Antonio Candido é um grande especialista, pode saber se o conceito de normalidade é diferente agora. Realmente, não havia normalidade. Então este é um aspecto fundamental – há um "motivo de força maior".

E, no caso, este desconto seletivo que se faz vai também contra a Constituição, quebra o princípio de eqüidade, que é um princípio constitucional. Então, não se pode selecionar: "destes eu desconto, daqueles eu não desconto". Com que critério? É absolutamente arbitrário. Isto também é antijurídico, também não é aceitável.

Então, por todas essas razões, a greve tem fundamento constitucional, é o exercício legítimo de um direito, como é um direito também o recebimento dos dias parados. Se não fosse assim, a greve não seria um direito. Se eu tivesse que pagar para exercer este direito! É um direito previsto, presente na Constituição. E quando ela fala neste direito, é o direito de não dar o trabalho, de não ocorrer a prestação de serviço.

E uma última observação. Aliás, antes da última observação, quero dizer ainda uma coisa. São argumentos que é bom a gente ter, porque às vezes querem nos pegar de surpresa. Quando uma empresa atravessa uma situação de greve, e depois chega no final e negocia com os grevistas e paga os dias parados – o que é regular, sempre acontece isto –, na verdade o diretor da empresa é quem determina o pagamento. Então ele poderia ser responsabilizado também. Se isso não fosse jurídico, ele estaria fazendo uma liberalidade à custa da empresa. O dinheiro não é dele, ele é apenas o diretor. Como ele pagou dias que os empregados não trabalharam? Isto é a regra, ninguém nunca contestou isto, quando a empresa paga. Ele não poderia pagar se não fosse válido. Por que isto não seria válido quando a Universidade paga? Não tem sentido. O direito é o mesmo.

E a última observação é como que uma advertência. A Constituição fala no direito de greve e diz que "os abusos serão punidos na forma da lei". E para os comentadores chama a atenção o plural "os abusos". Porque há uma coisa, uma figura que está na lei e que regulamenta a greve nas empresas, é a "greve abusiva". Em relação às empresas, existe uma lei que desce a pormenores e exige que haja uma assembléia que aprove a proposta, depois se deposite a proposta e aí, se a empresa não se dispuser a conversar, a negociar, então a greve é legítima.

E quando existe uma resposta considerada eficiente, a empresa ou já atendeu às reivindicações ou abre negociação. E quando, assim mesmo, se continua paralisado, a greve pode ser considerada abusiva. Mas no nosso caso – é um paradoxo, mas é isso mesmo – a falta da lei regulamentadora não nos subordina àquele cerimonial, àquele ritual. Então, na verdade a gente tem o direito que está previsto na Constituição, que é um direito que se exerce mais ou menos anarquicamente porque falta regulamentação.

O fato é este. Só que lá está previsto que os abusos serão punidos na forma da lei – e os abusos aí não dependem de uma lei especial, eles já estão previstos na legislação comum. E são dois, basicamente, os abusos: (1) abuso no sentido de causar prejuízo patrimonial à empresa, causar dano, por exemplo, como arrebentar máquinas; (2) outro abuso é contra os direitos fundamentais da pessoa, e a respeito disso tivemos a oportunidade de trocar idéias, inclusive na ADUSP. É impedir as pessoas de saírem da Reitoria ou de qualquer outro setor – isto é crime, é cárcere privado, está previsto na legislação penal, não precisa de legislação especial. É um direito de greve, mas é um direito que precisa respeitar os outros direitos. E, como todos os direitos, se exerce na convivência. Daí a necessidade de observar certos condicionamentos que, na prática, são certos limites.

São estas as questões fundamentais que eu queria trazer aqui. Apenas uma última lembrança. A própria Constituição se refere às atividades essenciais nas quais a greve será permitida. Há um reconhecimento por jurisprudência, por prática antiga, pela lei comum, que as atividades essenciais são aquelas que se ligam à sobrevivência das pessoas, à saúde e à segurança. Estas são as atividades essenciais – sobrevivência, saúde e segurança – três itens que aparecem expressamente na lei e que não podem ser objeto de greve. O que se tem feito para atenuar esta proibição é exigir que, ocorrendo greve que afete um desses setores, o próprio sindicato preveja quem vai dar continuidade ao serviço, uma vez que ele não pode ser interrompido. Em suma, são essas as previsões legais, são essas, em conjunto, as observações que eu poderia trazer como contribuição.

Mais uma vez quero dizer que estou feliz por ver a minha Universidade tão consciente, viva e participante. Mas, antes de terminar, queria cumprimentar a Direção da ADUSP, pois realmente eu não tinha tido um contato tão próximo pessoalmente. Tive a melhor das impressões e já pude dizer isto ao Reitor. Fiquei muito impressionado com o equilíbrio, a ponderação, a objetividade e, ao mesmo tempo, a firmeza com que a ADUSP vem se conduzindo. Então, por tudo isto, muito obrigado.

EDUCAÇÃO POLÍTICA PELA GREVE¹

Antonio CANDIDO

Bom, como ouviram, pouca coisa sobrou para dizer [risos]. Esta é a vantagem de ficar para o fim. Os colegas expuseram exatamente o que houve e de tudo que expuseram ressaltam a perfeita lisura e a perfeita boa fé das organizações em greve. E eu queria fazer apenas, para terminar, primeiro um relato da minha participação pessoal; segundo, algumas considerações.

Como disse aqui o nosso querido presidente [da ADUSP], eu "já peguei o bonde andando", quer dizer, fui convocado na quinta-feira para uma reunião, para esta Comissão, para ir eventualmente à Reitoria. Infelizmente eu tinha uma reunião que já havia sido confirmada antes e não teria como desmarcar. Também na sexta-feira ao meio-dia já tinha um compromisso. Assim que o compromisso terminou vim para cá e fiquei aqui das três e meia da tarde às nove e meia da noite.

Nesse período pude verificar algo que é muito característico das greves: o movimento de fluxo e refluxo constituindo de certo modo o seu ritmo. Às três horas, otimismo; às três e quarenta, pessimismo; às quatro e dez, desespero; às cinco horas, esperança; às seis horas, euforia; às oito horas, de novo desespero. Nós passamos por isto na sexta-feira. Quando nos separamos às nove e meia da noite, as perspectivas eram mais negativas que positivas.

Mas o fim de semana fez seu efeito, o tempo passou e, ao chegar hoje aqui, cheguei à conclusão que as coisas melhoraram bastante. Aquelas idas e vindas, até com alguns episódios desagradáveis, acabaram rendendo um progresso. Isto me leva às palavras que queria dizer. É o seguinte: somos velhos grevistas, não apenas o prof. Alfredo Bosi e eu, e também o João [Zanetic] (a

---

¹ Intervenção do Prof. Antonio Candido na Assembléia da ADUSP realizada em 12 de junho de 2000.

diferença maior é que naquele tempo a barba dele era loura e agora está toda branquinha... [risos]... Mas o próprio Reitor da Universidade foi nosso companheiro na greve de 79 [risos]; lembro perfeitamente, porque presidi várias assembléias; eu era vice-presidente [da ADUSP], o presidente, aliás um grande presidente, o Prof. Modesto Carvalhosa, tinha que se ausentar com certa freqüência e eu assumi várias vezes a presidência, por períodos às vezes longos. E me lembro de várias assembléias em que eu estava e de que nosso Reitor participou muito ativamente, de maneira que ele deve ter uma boa idéia do que nós estamos fazendo aqui.

Dessas greves de que participei, dentro e fora da Universidade, uma convicção nasceu em mim, convicção que tive a oportunidade de exprimir, na sexta-feira, várias vezes aos meus colegas: não há greve derrotada. Toda greve é sempre um progresso, às vezes não no sentido de se obter exatamente o que se quer, mas progresso em coesão, em consciência e em combatividade.

Vejamos o caso da nossa ADUSP. Quando ela foi fundada, teve a princípio uma diretoria provisória, depois houve uma diretoria eleita. A ADUSP praticamente não existia. Nos momentos em que era preciso, convocavam-se as pessoas, elas vinham ou não vinham. Grande parte dos professores ainda discutia se cabia ao professor fazer uma associação, porque isso dava um ar um pouco desagradável de sindicato operário, não é mesmo? E o professor é um *gentleman* ... [risos].

Me lembro até que, em uma dessas reuniões, em uma outra greve depois daquela de 79, tive a oportunidade de dizer que o professor universitário, dadas as suas condições de vida e dada a evolução da sociedade, não é mais um *gentleman* ligado às elites. Ele é muito mais um homem ligado ao trabalhador. Por isso, o comício, a manifestação, o protesto, a greve tornam-se instrumentos legítimos desta nova etapa da sua vida. Tive até a oportunidade de citar, propondo que fosse uma espécie de lema nosso em relação a colegas mais conservadores, o nome de um livro de ensaios do grande socialista inglês Harold Laski, *Sobre os perigos de ser gentleman e outros ensaios* [risos].

Ora, daquela greve de 1979, quero contar aos colegas o seguinte: eu, no exercício da presidência, mais de uma vez ofíciei ao Reitor de então. Qual o resultado? Não respondia aos meus ofícios. Só isto. Uma descortesia tão profunda que não chegava a ser descortesia. Era o seguinte: "isto não existe"; "responder o quê?"; "o que este homem está fazendo?"; "que associação é essa?" Bom, foi a greve que deu coesão. A greve derrotada de 1979 praticamente criou o cimento que uniu a ADUSP. Naquele momento, pela primeira vez, os funcionários da Universidade entraram na luta conosco. Ainda naquele tempo havia um corporativismo mais acentuado, nós funcionávamos em deliberações separadas, mas os funcionários entraram conosco, para escândalo de grande parte de nossos colegas mais apegados ao passado.

Hoje não apenas os funcionários, mas os estudantes estão junto com os professores, deliberando, com freqüência, organicamente. Querem um progresso maior do que este, do ponto de vista democrático, do ponto de vista das relações humanas, dentro da Universidade, da sociedade?

Refletindo, extrapolando daquela nossa sexta-feira meio angustiosa, de fluxos e refluxos, penso o seguinte: estes fluxos e refluxos que ocorreram, não na sexta-feira, mas nos 30, ou nos 40, ou nos 50 dias de greve são uma extraordinária educação política. E são alguma coisa mais que nos permitirá, por exemplo, depois de termos dado um balanço nas nossas conquistas materiais e funcionais, nos deixar muito mais abertos para a grande discussão do futuro da Universidade. Depois desta greve nós poderemos, com muito mais segurança, enfrentar o grande problema que é um problema a que o prof. Bosi se referiu – o descalabro que está pairando sobre a Universidade.

De maneira que a minha palavra é de agradecimento, de agradecimento por ter sido chamado depois de um período tão longo de inatividade, por estar aqui de novo, vendo a barba branca do João e lembrando o tempo da barba loura. Mas, para dizer que espero, que acredito que tudo vai acabar bem. E que, em homenagem ao Reitor da Universidade de Londrina, amigo do Dr. Dalmo Dallari, possamos dizer: *finis coronat opus.*

REFLEXÕES A PARTIR DA GREVE

Ademar FERREIRA[1]

O fator que deu força à greve das universidades públicas paulistas em 2000 foi sem dúvida a intransigência dos reitores em proceder a uma política de reposição de perdas salariais, em havendo sabidamente os recursos necessários. Podemos dizer também que o reajuste de 7% inicialmente oferecido pelo Cruesp, frente a perdas acumuladas muitas vezes maiores, segundo dados da FIPE, revela o pouco apreço dos reitores em relação à universidade, e uma aposta na incapacidade de reação de docentes e funcionários. E, prosseguindo na mesma linha de análise, diríamos que a forma como se desenrolaram os acontecimentos provocados pela greve, até o seu final, mostra que os docentes e funcionários, com apoio de estudantes, somente conseguiram fazer valer seu ponto de vista sob respaldo da força do movimento grevista. Já, na visão autoritária dos reitores, a greve representava empecilho ao bom andamento da universidade, conforme atesta a seguinte frase de um comunicado do Cruesp (29.05.2000): "A cessação da greve constitui pré-condição para que esta proposta (reajuste total de 15%, contra os 25% conseguidos no final) seja implementada e que se possam discutir questões essenciais da vida acadêmica".

Uma situação de conflito evidente, como é a greve, revela a clara existência de uma oposição dentro da universidade. De um lado, o poder constituído, formado por reitoria, diretores de unidades, e colegiados superiores, e, de outro lado, a grande maioria de docentes destituídos de mando. Em situações *normais*, o conflito revela-se também mais forte por ocasião da escolha do reitor, e durante eleições aos órgãos colegiados, sobretudo ao Conselho Universitário, onde dificilmente conseguem eleger-se representantes não afinados com o poder universitário.

[1] Escola Politécnica da USP – SP.

Esses breves comentários, a propósito da greve e do conflito hierárquico, apresentam uma visão tradicional do poder e de seus embates na universidade pública. Quero mostrar que hoje esse modo de ver o poder é insuficiente para explicar as transformações pelas quais passa essa instituição. De fato, hoje, no dia a dia, as relações de poder que alteram a universidade ocorrem despercebidas. A universidade vem sendo dividida e reestruturada de tal forma que as instâncias de poder tornam-se invisíveis. Nesta reflexão sumária a propósito da greve de 2000, pretendo discutir alguns aspectos da nova estrutura do poder na universidade pública, e expor o absurdo e a contradição que implicam em relação ao papel central da universidade na sociedade, que é o de crítica independente. Passarei, então, a analisar a questão crucial: quais as relações da nova face do poder na universidade pública com as transformações por que passa essa instituição? Para delinear o exame do novo poder na universidade pública, vou restringir-me às suas influências sobre o corpo docente, embora reconheça a necessidade de considerar o todo da universidade. Eventuais exemplificações referem-se à USP, mas devidamente adaptadas, podem ilustrar situações de outras universidades públicas no Estado de São Paulo e no Brasil.

Concretamente, o poder na universidade emana de seu estatuto. Na USP, esse documento data de 1988, tendo sido elaborado, portanto, já no período da redemocratização "possível" do País. Todavia, infelizmente, à sua letra e espírito não se permitiu refletir um grau de democracia desejável à universidade. O poder político foi mantido sob estrito controle, alheio à massa universitária, considerada não confiável para exercê-lo. A manifestação antidemocrática mais agressiva dessa peça legislativa é a forma centralizada de escolha do reitor e dos diretores de unidades, sendo totalmente incompatível com uma universidade autônoma e crítica. Entretanto, não pretendo analisar aqui o poder a partir do estatuto, mas, antes, suas formas e manifestações mais recentes e sua incidência no cotidiano da universidade, e algumas conseqüências na descaracterização de seu caráter público.

Nos últimos 20 anos, e principalmente na década passada, pode-se dizer que a característica mais operante do poder na universidade é a sua invisibilidade. Como aquelas formigas de apartamento que, de geração em geração, tornam-se menores e mais ágeis, o poder na universidade ultimamente inventa artifícios para passar despercebido. E tem conseguido fazê-lo habilmente. Conforme observado pelo Prof. Franklin Leopoldo e Silva, da FFLCH, em exposição durante a greve, os colegiados da universidade, em todos os níveis, tornaram-se órgãos meramente burocráticos, limitando-se a referendar matérias aprovadas em comissões, cujo número se multiplica sem fim. Se o alcance das deliberações de um conselho de departamento é aparentemente limitado, podendo-se tornar difícil desvendar as conseqüências de algumas de suas decisões, os efeitos da invisibilidade tornam-se gritantes no Conselho Universitário, órgão máximo onde se deveriam discutir os grandes temas da universidade. Marotamente, poder-se-ia dizer que o fato de transferir as deliberações para múltiplas comissões, das quais participam docentes, é uma democratização do poder. No entanto, tal prática, associada a outras alterações recentes do funcionamento da universidade, não passa de uma forma, à primeira vista sutil, de facilitar a adoção de medidas com a conseqüência, conforme veremos, de impregnar da ideologia de mercado o dia-a-dia da universidade. Longe de ser um processo espontâneo e natural como parece, faz parte de uma estratégia de diluição e escamoteação do poder, de modo a fazer passar por natural a destruição do caráter público da universidade.

A principal transformação da universidade, proporcionada pela nova face do poder, tem um duplo objetivo: (1) alterar as atividades de massa da universidade, o ensino de graduação e pós-graduação, bem como a pesquisa e extensão, de tal forma que atendam às novas necessidades do mercado neoliberal globalizado, em sua versão brasileira; (2) dificultar ao máximo que seu corpo docente, alunos e funcionários possam exercer atividade crítica relativamente à universidade para tentar reverter o objetivo (1). Note-se que, para poder criticar negativamente o primeiro objetivo, é preciso ter em conta diretamente que a sociedade brasileira, geradora desse mercado, é plena de injustiças sociais, e extremamente concentradora de renda.

Conforme veremos, a realização desses objetivos, possibilitada por diversos meios, está intimamente ligada à privatização crescente da universidade pública, de tal forma a tornar-se difícil estabelecer se esta privatização é causa ou conseqüência da transformação da universidade. Valendo-se de resoluções e portarias, o poder central, através do emaranhado de comissões, modifica o perfil da universidade, restringindo na prática o seu caráter público. Tudo é implantado sem uma discussão prévia e profunda por todos os interessados. O instrumento principal dessa política é a degradação salarial, mantida pelas diferentes reitorias, com pequenas melhorias resultantes de greves como a de 2000. No lugar de um bom salário, a direção universitária introduziu a flexibilização do tempo integral, que permite ganhos extra-salariais teoricamente ilimitados. Assim, cooptam-se docentes para a transformação da universidade através da possibilidade de ministrar cursos pagos, a título de educação continuada, educação à distância, e agora, mestrado profissional, bem como da prestação de serviços remunerados, na forma de projetos, estudos e pesquisas, que permitem a muitos docentes auferir ganhos adicionais ao salário baixo. Utilizam-se assim recursos como instalações, equipamentos e mão de obra, pagos com verbas públicas, em benefício de algumas entidades privadas. Dessa forma, ao mesmo tempo em que se deterioram os salários, facilita-se o acesso a ganhos elevados a parte dos docentes, à custa da distorção do caráter público da universidade. Quando verificarmos também que muitos desses cursos e serviços são inadequados para justificar o respaldo de uma universidade pública de qualidade, entenderemos por que, além de considerar que tais atividades concorrem para a sua privatização, comprometem irremediavelmente sua característica de ser crítica acima de tudo.

A atitude crítica da universidade é também enfraquecida quando se instituem práticas, mais uma vez através das comissões, que se apossam do tempo do docente. Este deve tornar-se uma espécie de empresário, que tem que administrar seu tempo pragmaticamente entre participar de comissões, escrever relatórios, fazer solicitação de recursos para projetos de pesquisa, ministrar aquele curso pago ou dar aquela consultoria, e, se sobrar tempo, corrigir provas, escrever artigos, orientar dissertações e teses, realizar a pesquisa para a qual conseguiu o dinheiro, e, excepcionalmente, preparar aula. Tudo isto para sobreviver na universidade produtivista. O resultado é uma circularidade, onde o docente, atolado no padrão para o qual contribui, é incapaz de criticá-lo.

Outro instrumento que reduz o caráter crítico da universidade é o instituto da avaliação praticada por delegação direta da reitoria, segundo critérios e objetivos pouco explicitados, tal como existe na USP. Uma avaliação desse tipo não está isenta de característica política, por falta de legitimidade. Assim, pode prestar-se a intimidar docentes que exerçam uma crítica mais consistente, e incentivem a mobilização contra certas atitudes e decisões centrais ou práticas veiculadas via comissões. Por outro lado, também pode servir à chancela de produções sofríveis, desde que seus produtores sejam politicamente corretos. Uma das feições menos democráticas dessa avaliação é que somente avalia uma parte dos docentes: os recém ingressos, os menos titulados, e aqueles que passam a integrar o regime de dedicação integral, agora flexibilizado. Assim, uma parte dos docentes, dentre os quais os eleitos ou elegíveis para chefias, e muitos dos que se dispõem a fazer funcionar a burocracia, não são avaliados, instituindo uma diferenciação explicável mas difícil de justificar.

Nesta análise sucinta, tivemos ocasião de discutir alguns problemas da universidade pública, sob a óptica do poder, a pretexto da greve de 2000. Retornando agora ao ponto de partida, e concluindo, podemos dizer que, se a greve conseguiu estancar a deterioração dos salários, e conseqüentemente da universidade, enfrentando diretamente o poder central, este vem adquirindo novas formas, como a recente *manifestação por capilaridade*, isto é, ramificação via múltiplas comissões, que na prática substituem a atividade deliberativa própria dos colegiados, com o efeito de mascarar a desfiguração da universidade pública. Por isso, somente uma crítica total, no dia a dia, que conteste e se recuse a aceitar práticas e idéias que não sejam o resultado de amplo e democrático debate, poderá construir a universidade de que a sociedade precisa.

O FUTURO DA EDUCAÇÃO SUPERIOR PÚBLICA E GRATUITA NO MÉXICO: A GREVE ESTUDANTIL NA UNAM E SUAS REPERCUSSÕES

Regina Aída CRESPO[1]

No dia 6 de fevereiro de 2000, entre as seis e as onze horas de um domingo um pouco frio e muito seco de fim de inverno, a Polícia Federal Preventiva ocupou a Cidade Universitária, campus central da Universidad Nacional Autónoma de México, UNAM, a maior universidade latino-americana.[2] Numa operação que muitos jornalistas e intelectuais definiram como "cirúrgica", foram presos cerca de 700 estudantes que realizavam uma assembléia do auto-intitulado *Conselho Geral de Greve (Consejo General de Huelga)*, o CGH, ou que simplesmente descansavam nas salas de aula transformadas em dormitórios. Vários foram acusados de crimes como terrorismo, motim e periculosidade social. As duas principais redes de TV do país, TELEVISA e TV Azteca, acompanhavam o desalojamento dos grevistas passo a passo e divulgavam, em primeira mão, imagens da Cidade Universitária: paredes pixadas, sujeira, restos de comida, roupas espalhadas e, inclusive, alguns vasos com mudas de maconha descobertos entre os pertences dos grevistas. As emissoras de televisão também documentavam os rostos de preocupação, medo e revolta dos estudantes que, em fila indiana, subiam nos ônibus rumo a duas penitenciárias da capital mexicana. Algumas meninas choravam, mas a maioria dos jovens entrava nos ônibus fazendo o

---

[1] Universidad Nacional Autónoma de México.

[2] Além das facultades, centros e institutos de pesquisa, bibliotecas, museus, centros culturais e reitoria, localizados na Cidade Universitária, a UNAM congrega três escolas profissionais, cujos *campi* funcionam em outras regiões do Distrito Federal e do vizinho estado do México, e as escolas nacionais de música, artes plásticas, serviço social e enfermagem. Também fazem parte da UNAM várias escolas de nível médio superior (equivalentes ao nosso segundo grau). A população discente se calcula entre 230 e 260 mil alunos. O pessoal acadêmico (professores, pesquisadores, técnicos acadêmicos) é de aproximadamente 100 mil pessoas, sem contar o pessoal administrativo, de base e de confiança (trabalhadores não sindicalizados, com contrato temporário).

V da vitória, encarando as câmeras com firmeza e repetindo palavras de ordem contra sua prisão, contra a *traição e as arbitrariedades* do reitor e contra a *política neoliberal* do presidente da República.

Depois da ocupação do *campus* e da prisão dos estudantes, a UNAM foi voltando lentamente à normalidade. Todas as sedes alternativas alugadas durante o conflito foram devolvidas e as atividades de pesquisa e docência voltaram a se concentrar nas instalações universitárias. Com o intento de recuperar o tempo perdido, o calendário escolar foi readaptado, as salas e corredores pintados e os alunos chamados a regressar às salas de aula. Iniciou-se uma enorme campanha publicitária nos meios de comunicação para reabilitar a universidade. Tal campanha desenvolveu-se paralelamente aos protestos dos pais dos estudantes presos, apoiados por alunos vinculados ao "CGH" e por membros de movimentos sociais e políticos inconformados com o rumo dado ao conflito pelas autoridades universitárias. As emissoras de televisão passaram a divulgar simultaneamente a propaganda institucional, as passeatas, as concentrações em frente aos presídios e os acampamentos que foram montados em frente à reitoria da universidade.

De 6 de fevereiro a 2 de julho, quando se realizaram as eleições para a presidência da república, a instabilidade e a incerteza continuaram presentes no cotidiano da universidade. Significativamente, depois das eleições, quando caiu por terra a hegemonia de 71 anos do Partido Revolucionario Institucional (PRI) sobre o país, as tentativas de reocupação das instalações de algumas das faculdades e os acampamentos de protesto na esplanada da reitoria praticamente desapareceram. Antes das eleições, foram libertados todos os estudantes presos. Tal fato, embora conseguisse que o móvel dos protestos desaparecesse, não foi capaz de extinguir completamente o clima de desconfiança que ainda se mantém entre a comunidade universitária.

Atualmente, a menos de três meses da posse do novo presidente da República,[3] sente-se uma nova e inusitada atmosfera

---

[3] A posse de Vicente Fox como Presidente da República será no dia 1º de dezembro de 2000.

política no país, numa estranha mistura de euforia, esperança, incerteza e ceticismo. Pode-se dizer que essa atmosfera também envolveu a UNAM: o tema atual dos debates é a realização de um congresso (uma das exigências dos grevistas) para avaliar e transformar a universidade.

Como analisar uma greve que interferiu profundamente nas atividades de ensino, pesquisa e difusão da maior universidade do país e repercutiu em praticamente toda a sociedade mexicana? Como entender que as instalações da UNAM tenham sido mantidas sob o controle de um grupo absolutamente minoritário ao longo de quase dez meses? Como explicar que as autoridades universitárias e governamentais tenham permitido que o movimento chegasse a esse ponto e tenham assumido uma política que se poderia definir como errática ao longo de todo o movimento e, inclusive, nos meses posteriores à entrada da força pública nas instalações universitárias?

Sete meses depois da ocupação do *campus* pela força pública e com a rotina universitária caminhando rumo a uma relativa normalidade, todas essas perguntas continuam gerando polêmica entre a comunidade acadêmica e o público em geral. Não existe nenhuma avaliação ou interpretação consensual acerca deste longo e dramático processo vivido na UNAM, cujo único mérito talvez tenha sido o de colocar em discussão o papel da universidade na sociedade atual e o próprio futuro da instituição e da educação pública, gratuita e de qualidade em países em desenvolvimento, como o México. Para poder refletir minimamente sobre o tema, é necessário compor um pequeno panorama retrospectivo acerca das principais etapas do movimento estudantil.

Dez longos e estranhos meses

O estopim da greve na UNAM foi a aprovação de um aumento nas taxas de matrícula e trâmites acadêmicos. Além de exigir a revogação do aumento, de acordo com sua demanda de educação pública e gratuita, os grevistas reivindicavam a anulação da reforma dos critérios de admissão e permanência na UNAM, realizada em 1997, e o fim do convênio estabelecido entre a universidade e uma instituição que realiza exames de admissão, o CENEVAL. A ocupação da universidade iniciou-se no dia 20 de abril de 1999. Com o passar do tempo e como resultado de algumas situações de confronto entre os grevistas e as autoridades universitárias, a pauta de reivindicações foi sendo ampliada e se completou com a exigência da retirada do aparato repressivo das instalações universitárias, da retirada dos processos penais aplicados a alguns grevistas e, finalmente, da realização de um congresso universitário democrático e resolutivo para transformar a UNAM.

Apesar de haver angariado relativa simpatia por suas demandas, a representatividade do movimento entre o conjunto dos estudantes sempre foi questionada. Na verdade, quando a greve foi deflagrada, muitos universitários apoiavam não só o reajuste das taxas (equivalentes a vinte centavos de peso, e que dois reitores antes de Francisco Barnés de Castro haviam tentado incrementar sem êxito), como também as reformas de 1997. Até então não havia limite de permanência na universidade e os estudantes das escolas de ensino médio superior da própria UNAM (equivalentes ao nosso segundo grau) tinham seu direito de cursar a graduação praticamente garantido, pelo critério conhecido como *passe automático*.

Com o tempo, a conduta dos grevistas endureceu, levando-os a um crescente isolamento. Quanto a Barnés de Castro, para a maioria da comunidade acadêmica, foi um negociador inábil. Chegou a propor uma diminuição nas taxas de matrícula inicialmente sugeridas e prometeu que os alunos que declarassem não ter condições de pagá-las não seriam obrigados a fazê-lo. No entanto, como praticamente ignorou as demais exigências dos grevistas, acabou por gerar um impasse que se manteve durante todos os primeiros sete meses do conflito.

Em finais de julho, um grupo de professores eméritos da UNAM, de diversas áreas do conhecimento, apresentou uma proposta de diálogo entre as autoridades e os grevistas, tratando de buscar infrutiferamente o ponto médio entre as suas posições. Em novembro, Barnés de Castro renunciou e foi substituído por Juan

Ramón de la Fuente, que deixou o ministério da saúde para assumir a reitoria com a proposta de resolver o conflito através do diálogo. Para muitos, este parecia ser o início de uma saída pacífica. Dezembro foi gasto em reuniões e os primeiros encontros entre os representantes da reitoria e do CGH esbarraram desde o princípio nas exigências dos grevistas.

Uma das características iniciais do movimento estudantil, que o estrelismo de alguns líderes acabou por destruir, foi a adoção de uma estratégia de revezamento entre seus membros em funções-chave como o comitê de imprensa e a representação nas mesas de diálogo. Para alguns analistas, esta prática, inspirada no movimento zapatista, diluiria a autoridade do movimento entre todos os seus componentes, fazendo-os atuar como grupo coeso e homogêneo. As autoridades não dialogariam com alguns estudantes, mas sim com o CGH. Como o CGH congregava representantes das 120 escolas da UNAM, os grevistas exigiam a presença rotativa de 120 delegados, 107 como assistentes e 13 como participantes diretos na mesa de diálogo. Apesar de seu teor, a exigência foi aceita pela reitoria, para que o diálogo pudesse começar. [4]

A estratégia de De la Fuente foi buscar dialogar com toda a comunidade acadêmica, e não só com os grevistas, para conhecer suas opiniões acerca da situação vivida na universidade e seu futuro. Simultaneamente, seus representantes firmaram os primeiros acordos com o CGH, aceitando suas exigências, inclusive a de reconhecê-lo como o seu único interlocutor. No entanto, as relações começaram a se complicar. Os membros do CGH decidiram rejeitar a proposta para a resolução do conflito, apresentada pelo reitor e aprovada pelo Conselho Universitário, principal órgão deliberativo da UNAM. O reitor, por sua vez, decidiu decretar que o diálogo entrava em recesso e seus representantes deixaram de comparecer às discussões. Janeiro havia começado com grandes expectativas e provavelmente a maior delas estava exatamente na proposta do reitor,

---

[4] A aplicação dessa política de rodízio acabou por irritar a comissão para o diálogo, designada pela reitoria. Afinal de contas, seus membros se expuseram durante todo o processo, sem nunca estabelecer nenhum tipo de familiaridade ou identificação com quem estava do outro lado da mesa.

baseada na volta às aulas concomitantemente à convocação do congresso universitário, que os próprios grevistas mantinham como ponto central para transformar a universidade.

Logo depois do lançamento da proposta, pela primeira vez na história da UNAM, o reitor convocou toda a comunidade acadêmica a participar de um plebiscito. Com o apoio de um forte esquema de propaganda nos meios de comunicação, De la Fuente e as autoridades universitárias conseguiram contar com o comparecimento de 180 mil universitários, os quais, em sua maioria, votaram pela volta às aulas. O "CGH" recusou-se a reconhecer o plebiscito e o definiu como uma fraude para legitimar uma possível solução violenta. Resolveu fazer uma consulta paralela junto à população, a fim de referendar as suas próprias demandas. A partir desse momento, as posições se tornaram praticamente irreconciliáveis. No dia 25 de janeiro, De la Fuente decidiu ir à Cidade Universitária para entregar ao CGH os resultados do plebiscito a favor do regresso à vida acadêmica. Os grevistas, apoiados por membros de várias organizações sociais, não o deixaram entrar.[5] Os conflitos entre grevistas e não grevistas aumentaram de forma assustadora e os primeiros feridos apareceram.

No dia 3 de fevereiro, em uma das escolas de nível médio superior, a Polícia Federal Preventiva foi chamada a atuar. Cerca de 260 jovens foram presos, dentre eles vários menores de idade. O tom das relações entre os antagonistas mudou. O reitor passou a exigir a devolução das instalações universitárias e a cobrar o apoio da força pública do governo da Cidade do México, que, em mãos do oposicionista Partido de la Revolución Democrática (PRD), recusou-se a enviá-lo, alegando o caráter federal da UNAM e a inviolabilidade da autonomia universitária. As especulações entre a comunidade acadêmica com relação ao andamento do conflito

---

[5] Várias organizações sociais e sindicais apoiaram o movimento grevista. Em sua maioria, vinculavam-se ao PRI (Partido Revolucionario Institucional), mas também ao PRD (Partido de la Revolución Democrática). Algumas, de carácter politicamente radical, outras, de cunho evidentemente clientelista, nenhuma se relacionava diretamente com as demandas estudantis e os temas educativos

cresceram e a inquietação também. Enquanto isso, *el Mosh*, *el Gato*, *el Diablo*, *la Medusa*, *la Jagger*, alguns dos líderes do movimento, continuaram afirmando que este não claudicaria e que iriam até o fim com sua luta pela educação pública e gratuita e por uma nova universidade.

O desenrolar dos acontecimentos deixou patente a incapacidade de negociar dos grevistas, incapacidade que acabou por comprometer o próprio futuro do movimento. Ao manter sua intransigência, os jovens universitários acabaram por enterrar seu ideal de transformação da universidade. Ao tratar de se impor aos demais, excluíram todos os seus possíveis aliados; ao manter suas posições com intransigência e sem nenhuma concessão, fecharam-se em um desespero inútil e sem saída. Na verdade, pareciam compartilhar uma espécie de tendência à derrota. Talvez só a prisão os pudesse redimir como os últimos heróis do milênio, na esteira dos mártires do movimento estudantil de 1968.

As imagens veiculadas pelas emissoras de televisão comprovaram essa tendência. Porém, mais que isso, ao longo dos dez meses de ocupação da Cidade Universitária, contribuíram para desacreditar, diante da opinião pública, o papel e a função social cumpridos pela universidade e pela educação pública e gratuita. Se no dia 6 de fevereiro as câmaras difundiram ao vivo a retomada das instalações, como uma ação saneadora, em momentos anteriores documentaram e criticaram acidamente as peculiaridades de uma greve que misturou de maneira inusitada festa e violência, barricadas e sessões de cinema, heroísmo juvenil, namoros, roubos e depredação. A UNAM foi manchete em todos os jornais, matérias de fundo de todas as revistas de análise política, tema de discussão em programas de debate e de reportagem nos noticiários de todos os canais de TV e estações de rádio.

Ações espetaculares como a liberação das catracas de várias estações de metrô e a paralisação da via de circulação mais importante da Cidade do México, além das inúmeras passeatas que complicaram ainda mais o trânsito, normalmente caótico, irritaram a população. As notícias acerca das assembléias do CGH, que atravessavam as madrugadas e que, de acordo com a mídia, eram marcadas muitas vezes pela intolerância e por enfrentamentos físicos entre suas várias facções, fizeram com que o público questionasse a própria legitimidade do movimento.[6] Depois de dez largos e estranhos meses, as diferenças entre as várias tendências estudantis – *moderados* (mais abertos ao diálogo com as autoridades universitárias), *ultras* (pouco dispostos ao diálogo) e *mega ultras* (completamente refratários a acordos que não significassem o cumprimento de todas as reivindicações do movimento grevista) – acabaram por se desvanecer com a entrada da Polícia Federal Preventiva na Cidade Universitária, na manhã do dia 6 de fevereiro.

Repercussões do movimento: qual o futuro da UNAM?

Para refletir sobre o futuro da UNAM depois da greve estudantil, em primeiro lugar, é interessante nos perguntarmos quais as repercussões do movimento entre os próprios alunos. Depois de fevereiro, alguns grupos minoritários tentaram e ainda tentam, debilmente, recuperar a liderança perdida. No entanto, com a libertação de todos os grevistas antes das eleições presidenciais de 2 de julho e com a definição de um novo panorama político para o país, tais grupos não parecem poder ir muito longe. Em termos da comunidade estudantil global, o que se pôde constatar como resultado concreto dos dez meses de ocupação da universidade foi uma enorme evasão de alunos rumo às escolas particulares. E, nesse

---

[6] As críticas se amparavam em argumentos como "nossos impostos bancam a desordem" ou "não é justo que o povo financie estudantes que não querem estudar". Com relação ao fato de que durante toda a paralisação os salários não deixassem de ser pagos, as opiniões divergiam, mas muitos criticavam a situação, argumentando que funcionários, pesquisadores e professores deveriam estar felizes, por ganhar sem trabalhar. Na realidade, isso nunca aconteceu. Em algumas unidades, as aulas passaram a ser dadas em sedes alternativas. Em outras, não houve aulas, mas as atividades de pesquisa continuaram. Ironicamente, os centros e institutos de humanidades e ciências sociais, que haviam sido os mais receptivos e tolerantes com relação ao movimento, foram tomados arbitrária e violentamente pelos grevistas. Já os de ciências exatas e biológicas nunca foram fechados e funcionaram normalmente durante todo o conflito, fato que também serviu para aumentar as fricções no seio da comunidade acadêmica.

contexto, a volta às aulas se deu de maneira lenta e desmotivada, acompanhada do ceticismo de muitos que não puderam, principalmente por razões econômicas, emigrar para as universidades particulares e que passaram a se sentir desorientados, perdidos ou de certa maneira prejudicados pela universidade pública que, aparentemente, pouco pode oferecer-lhes.

Nesse sentido, vale a pena refletir sobre o papel e a função que a UNAM vem desempenhando no panorama educativo e cultural do México. É interessante observar que a mídia, em geral, e o público acadêmico, em particular, costumam mencionar a UNAM como Nuestra Máxima Casa de Estudios, o que denota a importância dessa instituição em termos culturais. Suas enormes dimensões se explicam em grande parte como uma vitória do movimento estudantil de 1968, que defendia uma educação democrática e abrangente. A partir dos anos 70, a matrícula universitária se expandiu e a UNAM chegou a ter quase 350 mil alunos. A educação pública e gratuita se estabeleceu como uma realidade ao alcance de muitos mexicanos e representou, durante vários anos, um instrumento inquestionável de mobilidade social.

Hoje, porém, no México, como em outros países latino-americanos, a situação é bastante distinta. Dadas as sucessivas crises econômicas, os títulos universitários já não possuem o mesmo *status*. Já não garantem a tão cobiçada ascensão social e, muitas vezes, sequer a obtenção de um emprego. Além disso, é inevitável notar que existe no México uma relação cada vez maior entre as boas oportunidades de trabalho e os títulos oferecidos pelas universidades de elite. A incerteza com relação ao futuro faz com que os jovens questionem, inclusive, a utilidade de um título obtido em uma universidade como a UNAM, socialmente desvalorizada.

É importante observar que, por sua heterogeneidade política, cultural e sócio-econômica, a UNAM funciona como uma espécie de microcosmo, ou caldo de cultura, da sociedade mexicana, espelhando todas as suas contradições e conflitos. Nela, convivem diariamente classes sociais opostas, oriundas de universos sociais que, em outras circunstâncias, sequer se cruzariam. Nela, a crítica

219

se exerce de maneira cotidiana e a sociedade mexicana se transforma em tema permanente de reflexão. Pode-se dizer que na UNAM se vivem as contradições sociais cotidianamente e, nesse sentido, toda a carga de insatisfações que a sociedade mexicana vem sofrendo se reflete aí com maior intensidade. Ora, grande parte do declínio da imagem da UNAM decorre exatamente dessa situação. De acordo com os preceitos neoliberais adotados por todos os governos da América Latina, critérios como eficiência e especialização passaram a ser os parâmetros básicos para orientar e respaldar a educação superior. Nesse novo contexto, a UNAM, dadas as suas próprias características, não estaria formando os profissionais competentes e especializados de que o mercado necessita.

Significativamente, apesar de ser responsável por quase 90% da pesquisa feita no México, a UNAM não é a instituição educativa preferida quando se trata de empregos em áreas como a industrial e a financeira. O acesso de amplos setores da população à universidade pública tem de certa maneira *desqualificado* ou *depreciado* os profissionais ali formados, que entram no mercado de trabalho em evidente desvantagem. Enquanto áreas como a docência e a pesquisa ainda se nutrem essencialmente com os profissionais formados pela UNAM, as grandes empresas e os bancos preferem procurar seus funcionários nas universidades privadas, onde podem encontrar jovens de alto nível econômico, profissionalmente preparados e sem nenhum tipo de ressentimento social.[7]

Se, com relação ao seu papel no panorama cultural e educativo do país, a importância da UNAM tem sido comprometida, no âmbito político isso ainda não é tão evidente. No México, a ligação entre os intelectuais e o aparato estatal conforma uma espécie de tradição que a ditadura de Porfírio Diaz, ao garantir espaço à influência ideológica dos intelectuais, de certa maneira inaugurou, e

---

[7] A situação do México é oposta à do Brasil, onde o afunilamento social impede que a maior parte dos setores subalternos da população tenha acesso à educação superior pública e gratuita. Como sabemos, os títulos das universidades públicas acabam sendo os mais valorizados no mercado, até mesmo porque indicam que seus detentores possuem um nível sócio-econômico superior.

que a Revolução de 1910, ao incorporar intelectuais em suas filas, consolidou. Costuma-se dizer que, durante anos, uma das missões básicas da UNAM foi formar quadros competentes para responder às necessidades do aparato estatal por intermédio do partido hegemônico, o PRI. Com o enfraquecimento da hegemonia priísta, a demanda por intelectuais se diversificou e, com a fundação do PRD, em 1989, inicialmente como uma dissidência do PRI, congregando várias das demandas tradicionalmente relacionadas à esquerda, o espaço da política universitária se expandiu. Na busca de militantes, o PRD passou a fazer frente ao PRI e também aos pequenos grupos de esquerda, que tradicionalmente atuam nos meios universitários. Ora, uma das grandes discussões despertadas pelo conflito na UNAM se relaciona exatamente com a legitimidade ou não da presença ideológica dos partidos políticos nos espaços universitários.

No entanto, a questão mais relevante atualmente diz respeito ao próprio papel a ser desempenhado pela UNAM no novo contexto político que se abre no país. A vitória de Vicente Fox para a presidência da República não representa apenas o fim da hegemonia do PRI no panorama político nacional, também significa a ascensão de seu partido, o centro-direitista Partido Acción Nacional (PAN). Tradicionalmente marginalizado em universidades públicas como a UNAM, o PAN sempre recrutou seus militantes nas escolas particulares de elite. Dada a relação íntima de muitos de seus líderes com a Igreja Católica, espera-se uma nova onda de conservadorismo no país, simultânea à marginalização dos setores políticos e culturais de esquerda. Nesse sentido, se a UNAM já não puder nutrir o aparato estatal com os seus profissionais, nem continuar funcionando como uma arena política e cultural relevante, seu futuro se verá comprometido. Principalmente no caso de que se mantenha, com o novo governo, a política de diminuição paulatina de seu orçamento (aprovado anualmente pelo congresso).

A greve passada, que levou à queda de um reitor, à intervenção policial, à prisão de estudantes acusados de crimes como terrorismo, motim e periculosidade social e a uma atmosfera de

221

divergência e mudo confronto no próprio seio da comunidade universitária, não parece haver contribuído para que a UNAM mantenha – ou recupere – sua posição de principal universidade do país. Por outro lado, não se pode negar que, talvez por tudo isso, vive-se atualmente um momento particularmente favorável para se refletir sobre a estrutura da universidade e o seu futuro.

No entanto, às portas da realização do congresso universitário, existem mais perguntas do que certezas e, portanto, mais insegurança do que otimismo. Entre a comunidade acadêmica e o público em geral, há muita dúvida quanto à possibilidade de fazer surgir uma universidade verdadeiramente renovada. Pergunta-se, por exemplo: que critérios serão utilizados para definir as pautas de discussão? Que parâmetros se obedecerão para definir a representação de professores, pesquisadores, alunos, trabalhadores e autoridades acadêmicas e administrativas? Será realmente possível democratizar a universidade, reestruturando seus mecanismos de poder? Do trabalho de reflexão poderá realmente sair uma universidade revigorada e curada dos vícios que possui? O panorama não é claro e a organização do congresso avança a passos de tartaruga, o que não deixa de ser um elemento significativo para diminuir as expectativas que eventualmente existam acerca de verdadeiras mudanças na UNAM e de seu futuro no México.

Cidade do México, setembro de 2000.

Sobre o Livro
Formato: 14 x 21 cm
Tipologia: Classical Garamond 11
Papel: sulfite 75g/m² (miolo)
Cartão Supremo 250g/m² (capa)
1ª edição: 2002